Dépôt légal: Mai 1997
ISBN: 2.84113.238.2
Photogravure: Chrom'arts graphics Toulouse - Graphocoop 47 Agen
Imprimé en Espagne par Egedsa - Sabadell - Espagne

Stéphane Frattini

Drôles de RECORDS

MILAN

SOMMAIRE

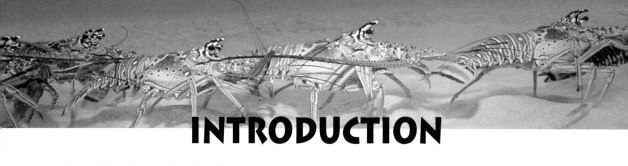

INTRODUCTION

MILLE MILLIARDS DE RECORDS

Les « records » des animaux et des végétaux ? Quelle drôle d'idée ! Comme si cela pouvait leur faire quelque chose, à eux, de peser 6 tonnes ou 2 grammes, d'être les plus grands, les plus rapides ou les plus colorés, de posséder les plus longues cornes ou de produire les plus gros fruits...

Dans la nature, plus simplement, il s'agit d'abord de survivre et de se reproduire. Si le guépard court à 100 km/h, c'est pour rattraper ses proies à la course ; si l'orchidée imite à la perfection un insecte femelle, c'est pour attirer le mâle qui disséminera le pollen... À chaque exploit sa fonction, la sélection naturelle se chargeant au fil des générations de fixer les progrès accomplis. Un système tellement efficace, qu'on connaît aujourd'hui environ 1 400 000 espèces d'animaux et 400 000 espèces de plantes réparties à travers la planète...

Pour se retrouver dans ce prodigieux fouillis, l'homme a très tôt entrepris d'observer, de comparer et de classifier le monde vivant. Et qui dit classement dit forcément « records », que ce soit par une caractéristique physique ou un comportement original. Bien plus que de simples anecdotes, ces faits et ces chiffres deviennent alors de précieux repères pour comprendre le monde qui nous entoure, ainsi que les espèces disparues.
Animaux ou végétaux, ce livre présente plus de 400 créatures extraordinaires, aux performances souvent incroyables ! Depuis les fosses abyssales jusqu'au toit du monde, de la plus modeste bactérie jusqu'au mastodonte, nous avons traqué les « records » partout où ils se trouvaient, en tâchant à chaque fois de les expliquer de manière simple et claire. Sans oublier une petite pincée d'humour. Au fait, le saviez-vous ? En ce moment même, votre peau abrite davantage d'organismes qu'il y a d'humains sur Terre...

RECORDS MODE D'EMPLOI

Certains animaux détiennent plusieurs records : nous avons en général choisi de mettre en avant celui qui nous semblait le plus original.

Quand le record est détenu par un genre ou une famille, nous présentons si possible l'espèce où ce record est le plus caractéristique.

Tous les records ne sont pas mesurables en chiffres : la rigueur des informations scientifiques n'exclut pas une certaine fantaisie !

Dans la troisième partie, Le monde animal, un pictogramme, placé à côté du nom de chaque animal, indique la classe à laquelle il appartient : arthropodes, mollusques, invertébrés, amphibiens, oiseaux, reptiles, poissons, mammifères.

Certains records sont absolus ; par exemple, la girafe est l'animal le plus grand. D'autres sont relatifs ; par exemple, la puce fait le plus grand saut par rapport à sa taille.

Les animaux et les végétaux sont en général cités au singulier (le dauphin, la marguerite) ; mais parfois, il peut s'agir de plusieurs espèces qui partagent les mêmes caractéristiques.

Enfin, pour plus de précisions, voici quelques définitions sur les adjectifs employés :

– grand : désigne la taille ;
– haut : désigne l'altitude ;
– gros : désigne le volume.

 Arthropode

 Mollusque

 Amphibien

 Oiseau

 Reptile

 Poisson

 Invertébré

 Mammifère

D'où vient la vie ? À cette question toute simple, on n'a pas encore trouvé la réponse. On connaît seulement les ingrédients nécessaires à son apparition, qui se trouvèrent réunis dans l'océan des premiers âges. Cela se passait il y a 4 milliards d'années, bien avant que la vie ne se différencie en végétaux et en animaux.
Depuis, notre planète a abrité une quantité infinie de créatures : marines ou terrestres, de tailles modestes ou géantes, dominant parfois le monde pendant un million d'années... avant de disparaître pour toujours !

Origines
Les

Record permanent !

Assis au bord de l'océan, tu peux aujourd'hui admirer ceci : quasiment le même spectacle qu'à l'origine du monde...

RECORDS PAR PÉRIODES

Appelées « strates géologiques », les couches du sol sont comme les pages d'un immense livre sur lesquelles se serait imprimée **l'histoire de la Terre**. Des pages souvent mélangées, bouleversées... Tout le travail du paléontologue est de les remettre dans l'ordre, pour comprendre l'évolution des innombrables organismes qui se sont succédé depuis 4 milliards d'années. Avec une seule certitude : tous, sans exception, ont tenu une place bien précise dans la nature, où rien ni personne n'est jamais inutile.

Trilobites
- 570 millions d'années

Arthropodes
- 480 millions d'années

Algues unicellulaires
- 1,9 milliard d'années

Poissons osseux
- 420 millions d'années

Bactéries
- 3,8 milliards d'années

Petits reptiles
- 320 millions d'années

RECORD DE MODESTIE

Il devrait (en théorie !) être détenu par l'homme, nouveau venu sur le chemin de l'évolution. À titre de comparaison, si la vie était apparue il y a 1 an, l'homme serait vieux de... 15 minutes !

LA SPIRALE DU TEMPS

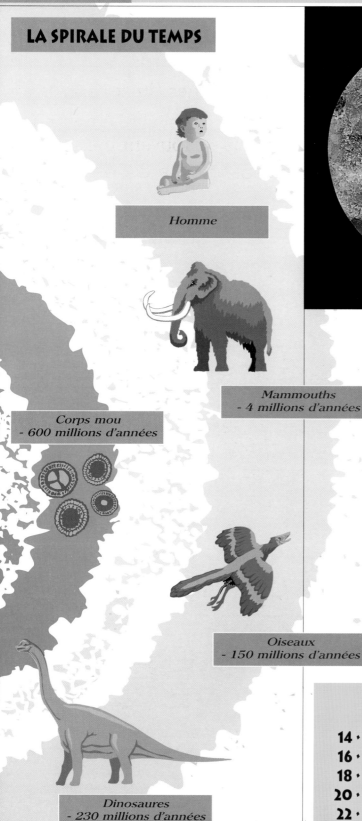

Homme

Mammouths
- 4 millions d'années

Corps mou
- 600 millions d'années

Oiseaux
- 150 millions d'années

Dinosaures
- 230 millions d'années

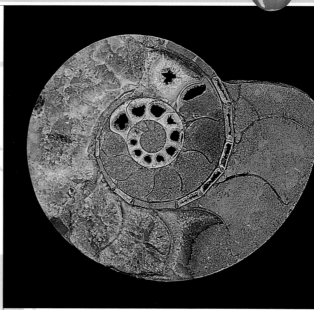

TÉMOINS RECORDS

Les fossiles (ici, une ammonite) sont les seuls témoins des temps révolus. Mais ils demeurent des exceptions, soumis à des conditions de conservation bien précises... Bien peu, en vérité, comparé à la multitude d'êtres vivants qui ne nous auront laissé aucune trace de leur passage sur Terre !

SOMMAIRE

ICI COMMENCE LA VIE

Il y a 4 milliards d'années, la Terre achevait de se refroidir. Les volcans vomissaient cendres et laves, l'atmosphère raréfiée ne filtrait pas encore les terribles rayonnements solaires... Mais, dans les océans tièdes, frappés par de violents éclairs électriques, commencèrent à se former des molécules complexes : sucres, acides nucléiques, acides aminés... C'est dans cette **« soupe primitive »** que se combinèrent les premières cellules capables de se reproduire, caractéristiques du monde vivant.

LE PREMIER ÊTRE VIVANT

La bactérie
− 3,8 milliards d'années environ

Baktêrion, en grec, signifie « petit bâton » : une forme très courante de cette cellule, qui fut la première unité vivante de tous les temps. Elle ne devait pas être alors bien différente de celles-ci, photographiées aujourd'hui au microscope électronique... Plus tard apparurent les cellules à membrane et noyau, qui pouvaient s'assembler entre elles, et constituent toujours l'unité de base de tous les êtres vivants (toi y compris !).

La bactérie : une simple cellule

LE PREMIER ORGANISME

Le métazoaire
- 600 millions d'années

En Australie, on a trouvé les plus anciens fossiles connus d'êtres vivants « métazoaires » , constitués de plusieurs cellules. Un gisement exceptionnel, car ces animaux sans coquille ni squelette avaient bien peu de chance d'être fossilisés ! Parmi eux, on reconnaît des méduses aux longs flagelles, des vers, des éponges, des coraux et quantité d'autres créatures déjà bien diversifiées.

Le métazoaire : un animal tout mou

LE PREMIER FOSSILE

L'algue unicellulaire
- 1,9 milliard d'années au moins

Au Groenland, on a trouvé des marques microscopiques dans des roches vieilles de 3,8 milliards d'années. Mais il pourrait s'agir de simples traces minérales.
Les premiers fossiles directs d'êtres vivants primitifs sont datés de 1,9 milliard d'années. Découverts au Canada, ce sont des algues bleues composées d'une seule cellule.
En rejetant de l'oxygène dans l'air, elles allaient permettre la vie sur Terre.

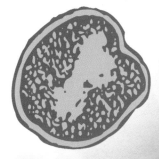

L'algue unicellulaire : l'ancêtre végétal

LES ROIS DE L'OCÉAN PRIMITIF

Appelée aussi Paléozoïque, l'ère primaire s'étend de − 570 à − 230 millions d'années. Des invertébrés jusqu'aux reptiles, le chemin parcouru fut immense. **Dans l'océan, d'abord**, se succédèrent un nombre incroyable de créatures « records ». Avec un immense avantage pour nous : elles commencèrent à laisser des traces nombreuses, parce qu'elles fabriquaient désormais des coquilles, des carapaces, puis des os...

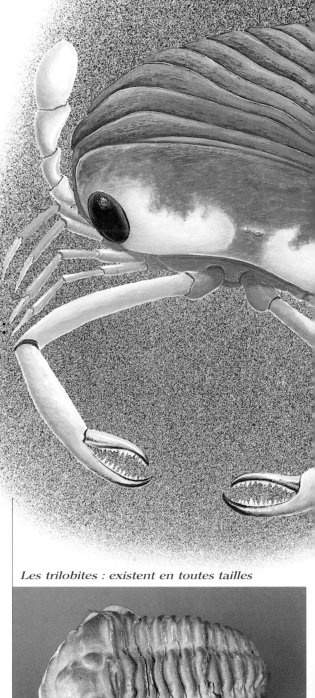

LES PLUS NOMBREUX

Les trilobites
<u>− 570 à − 350 millions d'années</u>

Les trilobites : existent en toutes tailles

Lointains ancêtres de nos crustacés, ces arthropodes furent florissants pendant plus de 200 millions d'années. Leurs fossiles demeurent tellement nombreux qu'on en a même recensé plus de 10 000 espèces ! Les plus petits ne dépassaient pas quelques millimètres, et les plus grands 75 cm de long. Mais tous vivaient au fond de la mer, filtrant la vase et le sable à la recherche de débris à manger, et... prêts à se rouler en boule en cas de danger !

LES PLUS GROSSES PINCES...

Le gigantostracé

- 480 millions d'années

On le surnomme aussi « scorpion de mer », à cause de ses énormes pinces. Les plus grands gigantostracés pouvaient atteindre 3 m de long : ils furent les plus terribles prédateurs du début de l'ère primaire, rois absolus de l'océan... Jusqu'à ce que leurs victimes favorites, les premiers poissons, réussissent à développer des mâchoires pour se défendre !

Le gigantostracé : géant invertébré

Le requin : tueur parfait

LES PREMIÈRES DENTS

Le requin

Depuis - 380 millions d'années

Dernière étape avant les poissons osseux, les requins gardaient un squelette de cartilage. Mais ils possédaient de vraies dents ! Dans leurs mâchoires, mais aussi sur leur peau, devenue râpeuse comme du papier de verre. Aussi efficace qu'une carapace, mais infiniment plus souple. C'est ce corps « parfait », muni d'organes de détection ultra-sensibles, qui a permis aux requins de traverser les époques, pour continuer aujourd'hui à faire régner leur loi !

LES PREMIÈRES MÂCHOIRES

Le Dunkleosteus

- 420 millions d'années

Leur squelette intérieur restait en cartilage tendre, mais certains poissons se recouvrirent bientôt de carapaces osseuses, qui leur blindaient la tête et le thorax.

Dunkleosteus était le géant de ces poissons. Il mesurait 7 m de long, un cauchemar pour ses victimes broyées entre ses mâchoires sans dents, mais ajustées comme de terribles pinces coupantes...

LA CONQUÊTE DES TERRES

Pendant l'ère primaire, des plantes et des animaux quittèrent progressivement l'eau pour venir coloniser les terres émergées. **Une aventure périlleuse,** réclamant une profonde métamorphose de leurs structures face aux mille problèmes posés par la vie à l'air libre : respiration, pesanteur, déshydratation, écarts de température...

LE PLUS GRAND INSECTE

Le Meganeura
- 310 millions d'années

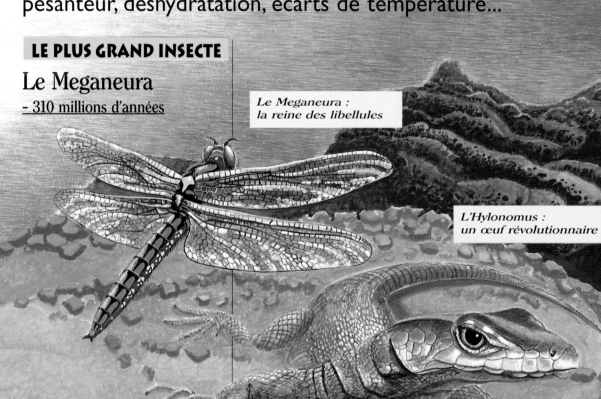

Le Meganeura :
la reine des libellules

L'Hylonomus :
un œuf révolutionnaire

Elle mesurait 45 cm de long pour 65 cm d'envergure : la libellule *Meganeura*, ce qui signifie « grandes nervures », fut le plus grand insecte de tous les temps ! Elle peuplait les grandes forêts du Carbonifère en compagnie de sympathiques autres invertébrés : mille-pattes de 1,80 m, araignées et blattes géantes...

LE PREMIER REPTILE

L'Hylonomus
- 320 millions d'années

Il n'était pas très grand : à peine 30 cm de long. Mais il possédait un formidable atout dans la lutte pour la survie. Il fut en effet le premier animal connu capable de pondre des œufs étanches, enrobés d'une coquille. Désormais, les reptiles (dont *Hylonomus* constituait l'ancêtre), allaient pouvoir s'éloigner de l'eau et des lieux humides, sans crainte de voir leur descendance compromise.

*L'Ichtyostega :
comme un poisson... sur terre*

LES PREMIÈRES FORÊTS

À l'époque appelée Carbonifère, les zones marécageuses se couvrirent d'une végétation luxuriante de fougères géantes. Chaudes et humides, ces premières forêts allaient fournir un refuge idéal à la vie animale... avant de se fossiliser à leur tour et de se transformer en charbon !

LE PREMIER AMPHIBIEN

L'Ichtyostega
- 350 millions d'années

Descendants des poissons, les amphibiens furent les premiers vertébrés terrestres à quatre pattes. Le plus ancien connu, *Ichtyostega*, mesurait 1 m de long et vivait au bord des lacs et rivières tièdes du... Groenland ! Il lézardait au soleil sur la terre ferme, et plongeait dans l'eau pour capturer des poissons entre ses mâchoires aux dents pointues.

L'ÈRE DES REPTILES

Il y a 230 millions d'années, nos cinq continents actuels formaient encore un seul et unique bloc : la Pangée. C'était l'immense royaume des reptiles. Pendant toute l'ère secondaire, jusqu'à 65 millions d'années, ils furent **les maîtres de la planète**, donnant naissance à des animaux fantastiques qui allaient grandir et se diversifier comme jamais.

RECORD MARIN

L'ichtyosaure

De − 220 à − 65 millions d'années

Certains reptiles choisirent de retourner dans la mer. Parmi eux, les ichtyosaures devinrent des géants féroces ! Leurs œufs éclosaient dans le ventre de la mère, qui mettait au monde des petits aussitôt capables de nager (avec des pattes élargies) et de chasser des proies. La plupart des ichtyosaures mesuraient entre 3 et 4 m de long, mais le plus grand connu, *Shonisaurus*, atteignait... 15 m !

L' ichtyosaure : géant de la mer

*Le ptérosaure :
large comme un avion*

RECORD AÉRIEN

Le ptérosaure

De − 200 à
− 65 millions d'années

Les reptiles ptérosaures, eux, s'attaquèrent au ciel. *Ptéranodon*, le plus connu, pouvait mesurer 7 m d'envergure. Il ne pesait pourtant pas plus de 20 kg, grâce à ses os aux structures creuses. Il s'envolait comme un cerf-volant, en se laissant porter par le vent... Le record de taille, lui, appartient au *Quetzalcoatlus*, de la fin de l'ère secondaire. Il dépassait 12 m d'envergure, autant qu'un petit avion de tourisme !

RECORD TERRESTRE

Le Dimétrodon

De − 280 à − 260 millions d'années

3,50 m de long pour environ 250 kg :
il fut l'un des plus gros reptiles de
son époque. Mais son record à lui,
le *Dimétrodon* le portait sur le dos.

Sa colonne vertébrale
supportait une série
de tiges osseuses, entre
lesquelles sa peau était tendue.
On sait aujourd'hui que cette « voile »
servait au *Dimétrodon* à réguler sa
température interne : déployée au soleil,
elle réchauffait plus rapidement son sang...

*Le Dimétrodon :
le reptile à voile*

LES RECORDS DINOSAURES

Gigantesques ou très petits, terribles chasseurs ou calmes herbivores, les dinosaures évoluèrent pendant **150 millions d'années**. On a découvert les fossiles de centaines d'espèces, le plus souvent incomplets. C'est pourquoi les records sont souvent discutés, s'agissant d'animaux « réinventés » à partir de quelques os...

LE PLUS PETIT DINOSAURE

Le Compsognathus
depuis – 180 millions d'années

C'est en Allemagne et en France qu'on a retrouvé les restes de ce dinosaure minuscule : il mesurait 70 cm de la gueule au bout de la queue, pour un poids d'environ 8 kg. Mais qu'on ne s'y trompe pas : c'était un chasseur très vif, agile et bien armé, qui pourchassait lézards et petits animaux dans les sous-bois de l'ère secondaire.

Le Compsognathus : gros... comme un dindon !

LE PREMIER DINOSAURE

L'Eoraptor
– 228 millions d'années

L'Eoraptor : sur deux pattes !

Il était né d'un œuf à la coquille dure. Il se tenait debout sur des pattes postérieures placées sous le corps (et non plus sur les côtés, comme les lézards)... Deux signes qui ne trompent pas : *Eoraptor*, dont on a retrouvé en Argentine un squelette de la taille d'un gros chien, est sans doute le plus ancien reptile connu qu'on puisse déjà appeler « dinosaure ».

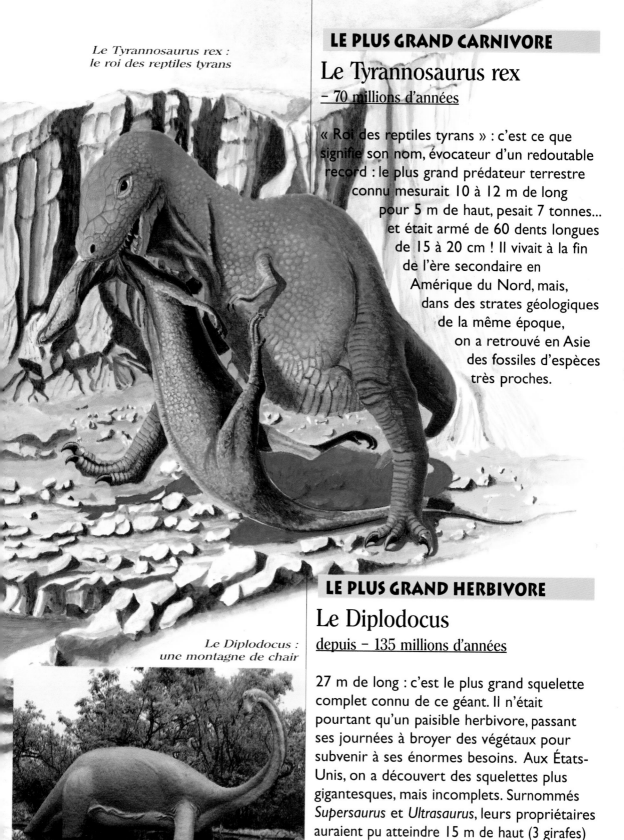

*Le Tyrannosaurus rex :
le roi des reptiles tyrans*

LE PLUS GRAND CARNIVORE

Le Tyrannosaurus rex
– 70 millions d'années

« Roi des reptiles tyrans » : c'est ce que signifie son nom, évocateur d'un redoutable record : le plus grand prédateur terrestre connu mesurait 10 à 12 m de long pour 5 m de haut, pesait 7 tonnes... et était armé de 60 dents longues de 15 à 20 cm ! Il vivait à la fin de l'ère secondaire en Amérique du Nord, mais, dans des strates géologiques de la même époque, on a retrouvé en Asie des fossiles d'espèces très proches.

*Le Diplodocus :
une montagne de chair*

LE PLUS GRAND HERBIVORE

Le Diplodocus
depuis – 135 millions d'années

27 m de long : c'est le plus grand squelette complet connu de ce géant. Il n'était pourtant qu'un paisible herbivore, passant ses journées à broyer des végétaux pour subvenir à ses énormes besoins. Aux États-Unis, on a découvert des squelettes plus gigantesques, mais incomplets. Surnommés *Supersaurus* et *Ultrasaurus*, leurs propriétaires auraient pu atteindre 15 m de haut (3 girafes) et peser plus de 100 tonnes (20 éléphants).

LA REVANCHE DES MAMMIFÈRES

Il y a 65 millions d'années, mystère ! Les reptiles ont quasiment disparu, ne laissant derrière eux que quelques représentants : tortues, lézards, serpents et crocodiles. Une aubaine pour les mammifères, qui avaient lentement évolué dans l'ombre des géants dinosaures. **La voie était libre** pour une nouvelle grande étape de l'évolution, qui mènerait... jusqu'à l'homme !

L'Indricotherium : lourd, très lourd...

LE PLUS GROS MAMMIFÈRE

L'Indricotherium
– 35 millions d'années

Il pesait en moyenne 12 tonnes ; il mesurait 8 à 10 m de long, et sa tête culminait à 8 m du sol (une girafe lui serait arrivée à l'épaule)... *Indricotherium*, un rhinocéros sans corne qui vivait en Asie, fut le plus gros mammifère ayant jamais foulé le sol terrestre. On pense même qu'il a pu atteindre les 20 tonnes, soit... 10 rhinocéros d'aujourd'hui !

LE PLUS GRAND CARNIVORE

L'Andrewsarchus
– 40 millions d'années environ

Son corps ressemblait à celui d'un gros chat, sa tête évoquait plutôt une hyène ou un loup... *Andrewsarchus* constitue le plus grand mammifère carnivore ayant jamais existé sur terre. Il mesurait 4 m de long, dont 90 cm pour son seul crâne très allongé...

L'Andrewsarchus : une bête féroce

Le Megazostrodon un genre de musaraigne

L'Hyracotherium : une branche parmi d'autres

LE PREMIER MAMMIFÈRE

Le Megazostrodon
− 200 millions d'années environ

Les fossiles des premiers mammifères sont rares, car leurs os étaient petits et fragiles. *Megazostrodon* était l'un d'eux, vivant en Afrique du Sud à l'époque des premiers dinosaures. Sa fourrure lui permettait de conserver la chaleur, et l'examen de ses dents révèle qu'il se nourrissait d'insectes, de vers et autres petites proies.

LE PREMIER CHEVAL

L'Hyracotherium
− 50 millions d'années environ

Dès le début de l'ère tertiaire, des milliers d'espèces de mammifères ont évolué à partir de multiples souches. *Hyracotherium* est l'une des plus connues : de ce petit herbivore forestier, mesurant à peine 25 cm, est apparu notre cheval actuel, en plusieurs étapes espacées... de millions d'années !

LE PLUS GRAND PRIMATE

Le Gigantopithecus
jusqu'à − 500 000 ans

Gigantopithecus, l'un de nos « cousins » singes du Vieux Monde, détenait le record de taille absolu : il mesurait 3 m de haut, et avait tendance à se tenir debout ! En Asie, où il vivait, les premiers hommes ont parfois croisé sa route. Mais ils n'avaient rien à craindre : comme le gorille aujourd'hui, ce géant paisible se nourrissait de végétaux !

Le Gigantopithecus : le « vrai » King Kong

DES FOSSILES ENCORE VIVANTS

Certains animaux, comme le crocodile ou le rhinocéros, peuvent nous sembler « préhistoriques ». Mais ils occupent encore **une place importante** dans le cycle de la vie, et leur espèce continue d'évoluer. En revanche, d'autres espèces animales ou végétales se sont complètement figées depuis des millions d'années.

Ces « fins de race » sont des **fossiles vivants**, appelés un jour à disparaître sans descendance...

Le cœlacanthe : poisson d'avril ?

L'hattéria
archipel de Nouvelle-Zélande

Non, ce n'est pas un lézard ! Ce reptile primitif constitue le seul survivant de la lignée des rhynchocéphales, très prospères pendant l'ère secondaire. Rare, très protégé, l'hattéria ne survit plus aujourd'hui que sur quelques îlots où il a pu échapper à la concurrence d'autres formes de vie. Mais s'il venait à disparaître, la lignée s'éteindrait avec lui...

L'hattéria : isolé sur quelques îlots

360 MILLIONS D'ANNÉES

Le cœlacanthe
archipel des Comores

En 1938, à Madagascar, on pêcha une créature qu'on croyait disparue depuis... 65 millions d'années ! Un cœlacanthe qui mesurait 1,40 m et pesait 57 kg. Aujourd'hui, on sait que ce drôle de poisson vit entre 120 et 300 mètres de fond, chassant poissons et crustacés. Son cerveau est minuscule (3 g !) et il possède un poumon inutile rempli de graisse. Plus fascinant encore : ses nageoires sont animées de mouvements réguliers qui préfigurent déjà la marche des vertébrés à quatre membres.

La limule : rien n'a changé !

200 MILLIONS D'ANNÉES

La limule
océan Pacifique

À condition qu'elle soit de la même taille, la carapace d'une limule actuelle pourrait très bien s'emboîter dans une trace en creux d'un fossile vieux... de 200 millions d'années ! Depuis ce temps-là, en effet, cet arthropode, proche des crustacés, n'a pratiquement pas évolué. À quoi bon se fatiguer, quand on a trouvé une place stable bien à l'abri des prédateurs...

Le ginkgo : les végétaux aussi !

160 MILLIONS D'ANNÉES

Le ginkgo
Asie

Les végétaux subissent les mêmes lois de l'évolution. Certains d'entre eux, incapables d'inventer, se figent en fins de lignées... Le fameux ginkgo, appelé aussi « l'arbre aux quarante écus », n'a pas changé depuis l'époque des dinosaures. Mais pas de souci à se faire : l'espèce est encore très répandue. Et le plus vieil arbre connu, âgé de 3 000 ans, continue à produire ses étranges graines qui ont besoin d'être fécondées comme des œufs !

Il y aurait **400 000 espèces** de plantes sur terre. Chaque année, on en découvre encore plusieurs milliers. Mais au fait, qu'est-ce qu'un végétal ? **Un être vivant**, comme un animal. Qui se nourrit, grandit, respire. Qui est même parfois capable de voyager ou de manger des insectes. La grande différence avec l'animal, c'est que la plante sait en général fabriquer sa propre nourriture. Ses racines, ses tiges, ses feuilles sont les instruments d'une chimie fantastique, capable de transformer des molécules inertes en cellules... bien vivantes !

Le Monde Végétal

Record de croissance

À l'origine de chaque arbre, il y a une graine souvent minuscule, qui contient pourtant toutes les informations pour se développer. Jusqu'à mille milliards de fois son poids initial, comme pour le sequoia !

RECORDS PAR CLASSE

Dans l'océan, l'algue unicellulaire absorbe l'énergie par sa surface entière, et n'éprouve nul besoin de se combiner en organisme avec d'autres. Près du rivage, en revanche, mieux vaut se rassembler pour survivre ! Alors, de la plus humble mousse à la splendide orchidée, les végétaux ont évolué en grandes « classes » pourvues d'espèces toujours plus adaptées. Leur but ?
Envahir la planète.
Toute la planète...

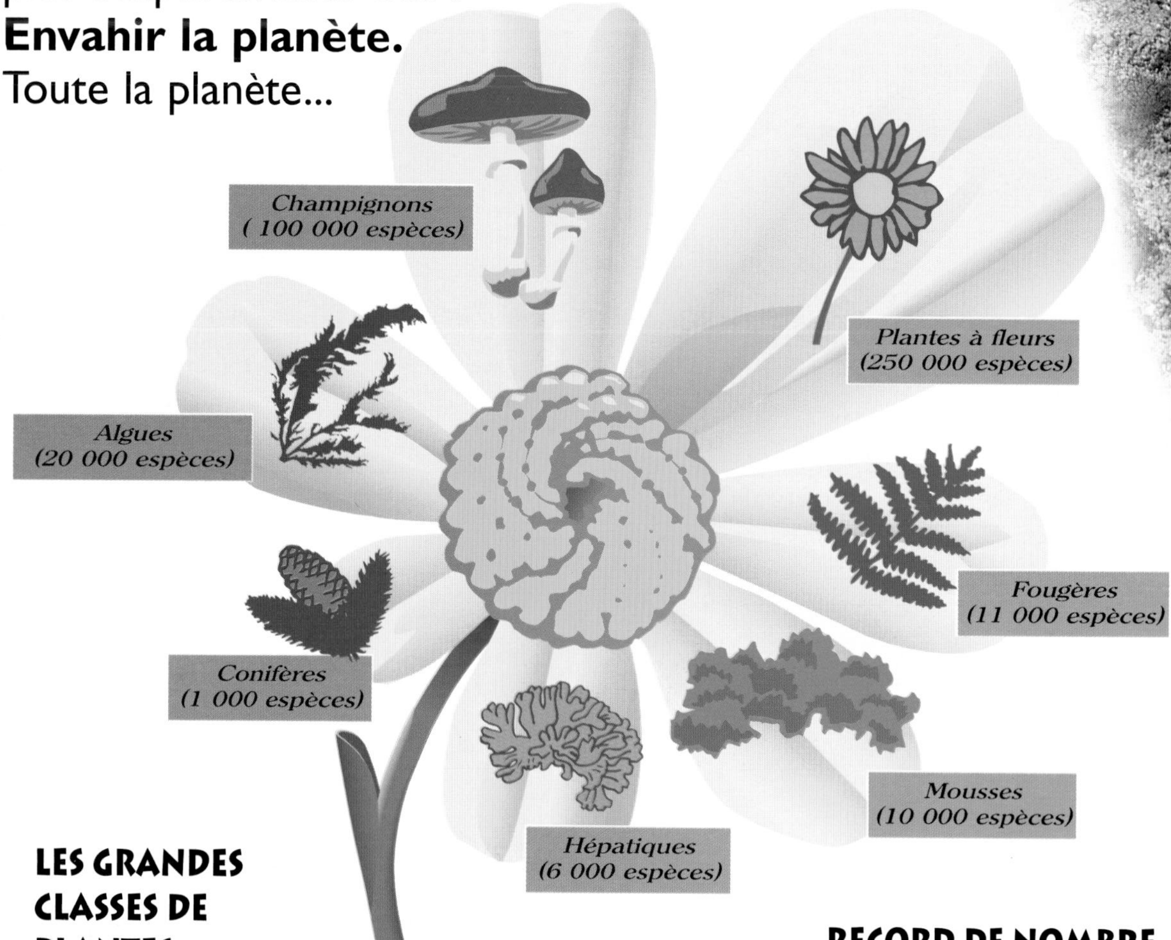

Champignons
(100 000 espèces)

Plantes à fleurs
(250 000 espèces)

Algues
(20 000 espèces)

Fougères
(11 000 espèces)

Conifères
(1 000 espèces)

Mousses
(10 000 espèces)

Hépatiques
(6 000 espèces)

LES GRANDES CLASSES DE PLANTES

RECORD DE NOMBRE

Avec 250 000 espèces connues, il appartient aux plantes à fleurs. Et si le reste de la plante peut être complètement modifié par le climat, la fleur (organe de reproduction) demeure pratiquement inchangée. Un bon moyen pour classer les espèces !

DURÉES RECORDS

Les plantes ne vivent pas à la même échelle de temps que nous. Certains arbres peuvent croître pendant plus de 4 000 ans ! Même un modeste lichen sur un rocher peut être plusieurs fois centenaire...

MINUSCULE, LE PLANCTON

À la surface de l'eau, on distingue parfois une sorte de brume légère. C'est **le plancton végétal**, un mélange d'innombrables organismes microscopiques. Parmi eux, une majorité d'algues unicellulaires qui, à partir de l'eau de mer et de l'énergie du soleil, fabriquent sucres, protéines, huiles, vitamines... **Le premier maillon de la chaîne alimentaire**, régal de la faune aquatique !

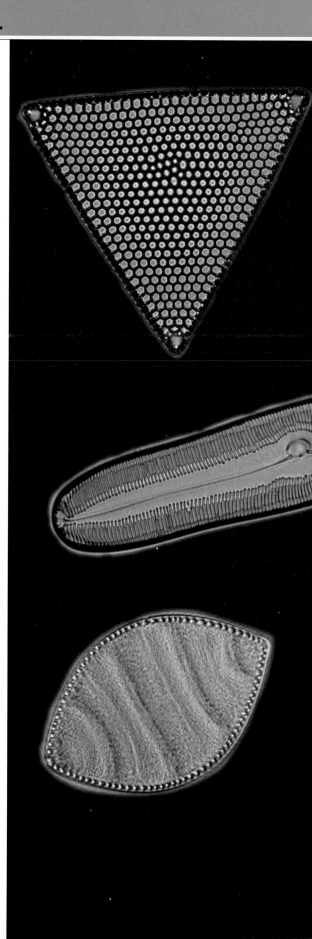

Les diatomées : géométries en folie

LE PLUS COURANT

Les diatomées
mer et eau douce

Elles composent à elles seules la majorité du plancton végétal. Et en plus, elles sont superbes. Les diatomées sont des algues unicellulaires protégées par une coque en silice pure. Une vraie boîte, avec un fond large et un couvercle plus fin qui s'y emboîte parfaitement. Quant aux formes : il y a des centaines de styles !

LES DINOFLAGELLÉS, DANS LES MERS CHAUDES

Impressionnant, une « marée rouge » !
La mer est couleur de sang, les poissons
échouent par millions sur le rivage...
Les responsables ? Certaines espèces
de dinoflagellés, de microscopiques algues
rouges, produisant les toxines les plus
puissantes du plancton végétal.
En général, leur poison se dilue sans
danger dans la masse. Mais parfois,
les dinoflagellés pullulent brusquement.
Alors, attention aux dégâts...

LE PLUS ÉVOLUÉ

Les euglènes

eau douce

Comme tout bon végétal, l'euglène fabrique
sa nourriture par photosynthèse. Mais que
passe une appétissante bactérie à sa portée...
hop ! Elle l'absorbera sans hésiter. Cette
algue très évoluée est donc considérée
aussi... comme un
animal. Surtout
qu'en plus, elle
possède un long
flagelle pour
avancer, et un
« œil »
rudimentaire,
sorte de tache
pigmentée
sensible à la
lumière.

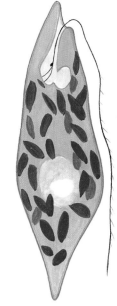

Les euglènes : mi-végétal, mi-animal

PRODUCTION RECORD

On a estimé que dans la Manche, dans
des conditions idéales, 1 400 tonnes de
plancton végétal sont produites chaque
année au kilomètre carré. Presque
autant que le foin (poids mouillé), qui
produit en moyenne 1 800 tonnes sur
la même surface !

GÉANTES, LES ALGUES

En fils, en lanières, en boules, en plumets... les algues du rivage se regroupent en **organismes pluricellulaires**. Secouées par les vagues et les marées, elles sont souvent fixées au rocher par un solide crampon. Mais elles ne possèdent ni vraies feuilles, ni tiges ni racines. Pour se nourrir, chaque cellule de la plante se débrouille toute seule, en absorbant directement les sels minéraux dissous dans l'eau.

LA PLUS GRANDE

La laminaire
côte méridionale du Chili

Comme les autres algues, les grandes laminaires s'affaissent sur les rochers quand l'eau se retire. Toutes... sauf quelques-unes, qui possèdent des tiges assez rigides pour demeurer dressées. La plus grande d'entre elles est le *Lessonia* du Chili : il peut atteindre 2,5 m de haut, et quand vient la marée basse, évoque une sorte de palmier avec de drôles de « feuilles » pendantes.

ON LES CLASSE PAR COULEURS

Pour mieux capter les rayons solaires, les algues se colorent avec certains pigments. Toutes tailles confondues, on dénombre aujourd'hui 1 500 espèces d'algues bleues, 1 500 d'algues brunes, 4 000 d'algues rouges et 8 000 d'algues vertes.

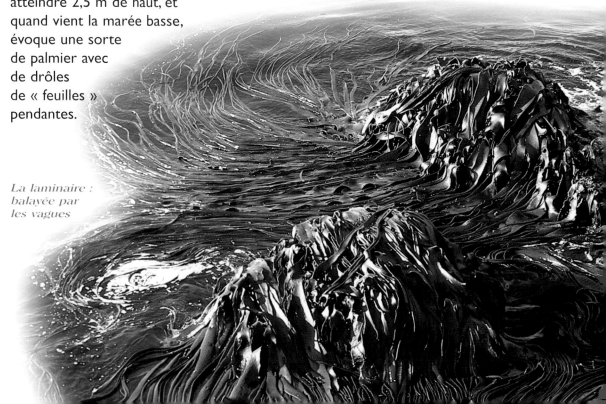

*La laminaire :
balayée par
les vagues*

LA PLUS LONGUE

Le macrocystis

Californie et zone tempérée Sud

Appelée aussi « varech géant du Pacifique », cette algue peut atteindre la longueur record de 100 m ! Solidement arrimées au fond, jusqu'à 25 m de profondeur, les algues macrocystis s'élèvent toutes droites jusqu'à la surface, où elles s'étendent en larges frondaisons ondulantes. Une aubaine pour de nombreux animaux marins, qui s'y reproduisent à l'abri des prédateurs.

Le macrocystis : des forêts sous-marines

La sargasse : une perpétuelle dérive

LA PLUS RÉPANDUE

La sargasse

Atlantique Nord tropical

Elles furent arrachées un jour aux côtes d'Amérique. Depuis, les sargasses prospèrent à la dérive sur des millions de kilomètres carrés dans l'océan Atlantique. Leur secret ? De petites vésicules remplies d'air (aérocystes) pour flotter à la surface. Ces algues forment les plus grandes étendues de végétation uniforme au monde ! Parfois si denses, comme dans la mer des Sargasses, qu'elles empêchent les bateaux de passer...

LE CLAN DES CHAMPIGNONS

Ils ne possèdent pas de chlorophylle comme les autres plantes. Ils ont besoin de nourriture comme les animaux. Les 100 000 espèces de champignons forment **un règne distinct**. Ils se composent en général d'une partie vivace, cachée sous la terre ou l'écorce : le mycélium, composé de milliers de filaments nourriciers, et d'un fragile organe reproducteur surgissant du sol pour disséminer les spores au vent. C'est lui que nous appelons communément... champignon !

LE PLUS GROS (SUR UN ARBRE)

Le polypore
forêts humides

Les arbres ne leur disent pas merci. Ces énormes « étagères », qui peuvent vivre plusieurs années, s'accrochent à leurs troncs et dévorent leurs cellules jusqu'à parfois les tuer. En plus, ils peuvent devenir énormes ! Le plus gros polypore connu a été trouvé en Angleterre : un *Rigidoporus ulmarius* poussant sur un orme mort. Il mesure 1,30 m de diamètre moyen, plus de 4 m de circonférence, et sa croissance n'est pas finie.

Le polypore : gros parasite !

L'armillaire couleur de miel : un signal dans la nuit

LE PLUS LUMINEUX

L'armillaire couleur de miel
forêts de feuillus, jeunes plantations

Le jour, c'est un champignon plutôt banal : 12-15 cm de haut, chapeau et corps gris-vert,

LE PLUS VÉNÉNEUX

L'amanite phalloïde
toutes forêts

10 cm de haut environ, un chapeau vert olivacé avec un pied plus clair, des lamelles blanches... Alerte maximale ! L'amanite phalloïde, commune dans les bois, est responsable de 9 accidents mortels sur 10. L'empereur romain Claude Ier, le pape Clément VII furent parmi ses victimes, connaissant une mort horrible : le foie détruit, les tissus rongés, le délire puis le coma. Brrrr !

L'amanite phalloïde : 20 grammes suffisent

LE PLUS GROS (AU SOL)

La vesse-de-loup
bois et prés

La plus grande a été trouvée au Canada : elle mesurait 84 cm de diamètre et pesait 22 kg ! En France, le record est de 52 cm pour 14 kg. Mais, en général, la vesse-de-loup *Langermannia gigantea* ne mesure « que » 25 à 30 cm de diamètre. À mesure qu'elle grandit, elle se dessèche aussi, puis sa peau veloutée se craquelle pour disperser au vent ses milliers de milliards de spores...

qui vit souvent en touffes parasites au pied des arbres... La nuit, tout change ! On repère de loin sa luminescence verdâtre. Explication : des réactions chimiques causées par sa respiration. Le phénomène se retrouve chez de nombreux autres champignons à travers le monde. Mais tous ne sont pas aussi lumineux... Ni aussi bons que celui-là, parfaitement comestible !

La vesse-de-loup : boule de poussière

LES PLANTES PRIMITIVES

Mousses, hépatiques, fougères... Ces plantes « cryptogames » ont en commun de ne posséder **ni fleurs ni graines**. Elles se reproduisent en dispersant des spores non protégées, et demeurent très dépendantes d'un milieu humide.

Elles forment surtout la première grande étape de l'aventure des plantes terrestres, commencée il y a 400 millions d'années. Gloire à ces illustres pionnières !

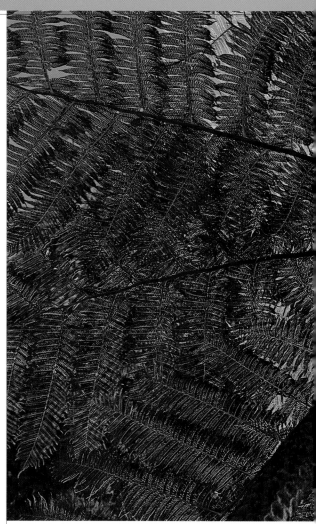

RAMPER, TOUJOURS RAMPER...

Comme l'algue, son ancêtre, l'hépatique – qui pousse dans les lieux humides et ombragés – possède un tissu végétal rudimentaire, sans nervures ni vaisseaux. Mais, en dessous de la plante, surprise ! Des ébauches de racines (les rhizoïdes), sont agrippées au sol. Un immense exploit pour l'époque : avec leurs cousines les mousses, les 6 000 espèces d'hépatiques furent les premières reines de la terre ferme. Jusqu'à ce que d'autres inventent le bois...

*La fougère arborescente :
haute comme un palmier*

LA PLUS COMMUNE

La mousse
lieux humides et ombragés

On en connaît 10 000 espèces, et les
records sont variés. La mousse des
ruisseaux *Fontinalis* possède des filaments
aquatiques qui ont jusqu'à 90 cm de long.
La plus grande, le *Polytric*, s'élève jusqu'à
30 cm de haut. Certaines mousses pygmées
mesurent quelques millimètres à peine...
Mais toutes ont absolument besoin d'eau
pour se reproduire. Voilà pourquoi les
mousses vivent souvent groupées en touffes
serrées : à plusieurs, on forme une éponge !

La mousse : la vie en touffes

LA PLUS GRANDE

La fougère arborescente
forêts tropicales humides

Elle peut atteindre 18 à 25 m de haut, avec
des « frondes » (c'est le nom des feuilles)
longues de 5 m. La fougère arborescente
porte bien son nom, tant elle ressemble
à un grand arbre. Ainsi, ces fougères ont su
inventer un vrai squelette de bois pour
monter vers la lumière, muni de vaisseaux
pour transporter l'eau et les sels minéraux.
Il ne leur manquait plus qu'une chose pour
s'en aller coloniser les terres plus sèches :
la graine.

LES ROIS CONIFÈRES

À eux seuls, ils couvrent encore **un tiers des forêts** de la planète. Pas mal pour des végétaux archaïques, qui furent parmi les premiers à se reproduire avec des graines ! Et même si de nombreuses espèces ont disparu depuis, même s'ils sont lentement repoussés vers les climats froids, les conifères demeurent des arbres extrêmement **vivaces**, qui détiennent quelques-uns des plus impressionnants « records du monde ».

LE PLUS GROS

Le cyprès taxodium
Amérique centrale

Il ne mesure « que » 45 m de haut, mais il faudrait au moins 30 adultes se tenant la main pour encercler son tronc ! Le conifère le plus gros du monde est un *Taxodium* (une espèce de cyprès des régions chaudes) de la région d'Oaxaca, au Mexique. L'« Arbre de Tulé », c'est le nom local de ce mastodonte végétal, mesure déjà 42 m de circonférence à 1 m du sol, et sa croissance n'est pas terminée, bien qu'il soit âgé d'environ 4 000 ans.

LE PLUS GRAND

Le séquoia géant
Amérique du Nord

Le séquoia New Tree, en Californie, culmine à 111 m (la hauteur d'un immeuble de 45 étages) ! C'est aujourd'hui le plus grand arbre du monde, et on estime qu'il doit peser environ 6 000 tonnes avec ses racines. Son tronc monte tout droit vers le ciel, portant de nombreuses branches mais sans jamais se diviser.

Le séquoia géant : gratte-nuages

Le cyprès taxodium : un tronc puissant...

Le pin hérissé : le doyen du monde

LE PLUS VIEUX

Le pin hérissé
Californie

Le plus vieil arbre connu est âgé de 4 900 ans. C'est un pin hérissé, des désertiques *White Mountains* de Californie, qui semble... complètement mort ! Mais il ne l'est en réalité qu'à 90 %, car à cause du climat très sec, son bois mort ne pourrit pas, et la sève y circule encore lentement, produisant de rares petites branches. Ah ! si seulement il pouvait nous raconter son histoire...

L'if : joli, mais dangereux

LE PLUS PRIMITIF

L'if
climats froids et tempérés

Les 18 espèces d'ifs sont des conifères... sans cônes. Leurs graines rudimentaires sont rassemblées dans de simples petites boules rouges (les arilles) qui ressemblent à des fruits. Attention à ne pas les avaler ! Car si la pulpe rouge et juteuse est comestible, la graine, comme tout le reste de l'arbre, contient un poison violent. Et bien des chevaux en sont morts.

LES PLANTES À FLEURS

Dernière étape de l'évolution, les plantes à fleurs sont aujourd'hui **les plus nombreuses sur terre**. Il en existe 250 000 espèces, adaptées à presque tous les types d'habitats. Et si quelques-unes comptent sur le vent pour les féconder, de nombreuses autres ont évolué parallèlement aux insectes, attirés par les couleurs ou les odeurs puissantes... de ces splendides organes de reproduction !

L'orchidée-mouche : imitatrice de choc

LA FLEUR LA PLUS ÉVOLUÉE

L'orchidée-mouche
Europe

De loin, l'insecte mâle est attiré par l'odeur délicieuse d'une femelle. En s'approchant, il constate qu'en plus, cette femelle est posée sur une fleur qu'il pourra butiner. Quelle aubaine ! Et, tranquillement, il commence à s'accoupler avec... l'orchidée elle-même, qui a su créer cette parfaite imitation visuelle et olfactive. Son but ? Que l'insecte emporte vers l'orchidée suivante un sac de pollen qui s'est collé sur sa tête. Drôlement futée, l'orchidée !

Le magnolia :
une grosse fleur rustique

La glycine géante : un jardin à elle seule

LA PLANTE LA PLUS PROLIFIQUE

La glycine géante
originaire de Chine

C'est aux États-Unis, en Californie, que cette glycine est la plus célèbre. Un seul pied planté en 1892 s'étend aujourd'hui sur 5 000 mètres carrés, avec un poids estimé à plus de 200 tonnes et des branches jusqu'à 150 m de long. Mais surtout, elle produit chaque printemps environ... 1 500 000 fleurs, qui attirent une foule de curieux pendant les cinq semaines de sa floraison !

LA FLEUR LA PLUS PRIMITIVE

Le magnolia
climats chauds et tempérés

Arbres ou arbustes, les 230 espèces de magnolias sont parmi les plus anciennes plantes à fleurs connues. On voit très bien le chemin qu'a suivi l'évolution : à l'extrémité du rameau, les feuilles se sont transformées en pétales géants, disposés en hélice autour d'un mini-cône qui évoque encore la pomme de pin primitive. Le seul inconvénient, c'est que cette grosse fleur absorbe tellement d'énergie qu'elle empêche les bourgeons d'éclore sur le rameau qui la porte.

LA PLUS GRANDE INFLORESCENCE

Le puya
Amérique du Sud

De nombreuses plantes produisent leurs fleurs en bouquets appelés « inflorescences ». La plus grande du monde, qui est aussi la plus lente à fleurir, pousse en Bolivie vers 4 000 m d'altitude. *Puya raimondii*, c'est son nom scientifique, n'atteint l'âge adulte qu'entre 80 et 150 ans. À ce moment-là, elle sort un seul énorme épi (panicule) qui peut atteindre 10 m de haut, et comporte jusqu'à 8 000 fleurs blanches ! Après quoi, épuisée, elle meurt.

Le puya : la plus lente aussi !

L'ADAPTATION

Contrairement aux animaux, une plante ne se déplace pas. Si le hasard a emporté sa graine dans un milieu différent de celui d'origine, elle devra tâcher de **s'acclimater aux changements**. Et si elle y parvient, sa descendance aura encore plus de chance de **survivre**... Ainsi, au fil du temps, l'évolution s'est emparée de toutes sortes de plantes, pour en faire des créatures « records » adaptées à survivre dans les milieux les plus hostiles.

Amérique du Nord

Amérique du Sud

L'HERBE QUI VOYAGE

On la voit dans tous les westerns : une grosse boule sèche qui peut atteindre 80 cm de diamètre, roulant sans fin dans les déserts d'Amérique. Mais ce ne sont que des branches mortes, destinées à disperser les graines au fil du voyage...

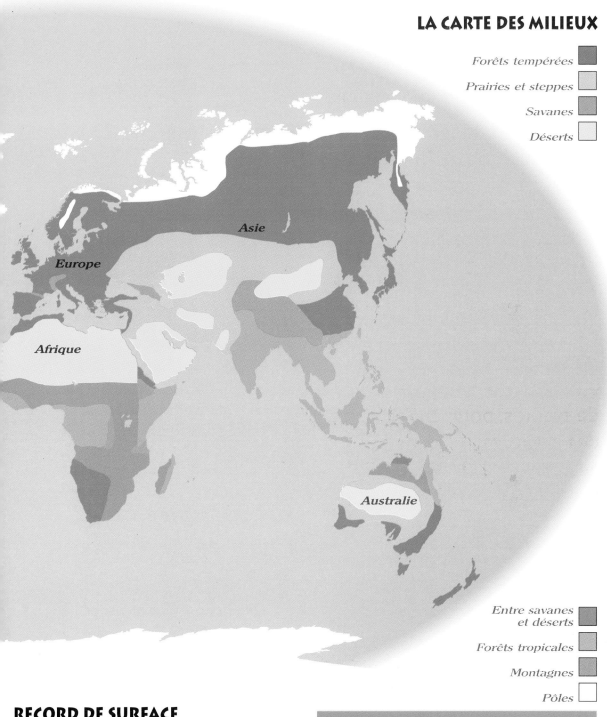

LA CARTE DES MILIEUX

Forêts tempérées
Prairies et steppes
Savanes
Déserts

Asie

Europe

Afrique

Australie

Entre savanes
et déserts
Forêts tropicales
Montagnes
Pôles

RECORD DE SURFACE

Il appartient aux graminées, qui sont les plantes à fleurs les plus répandues au monde. Steppes, prairies, toundras, savanes... forment un « tapis végétal » sur la planète, sans lequel la vie animale aurait été impossible.

SOMMAIRE

LES PLANTES DU DÉSERT

Tous les déserts ne sont pas aussi secs que le Sahara, où aucune plante ne saurait survivre sur les dunes brûlantes. La majorité d'entre eux se composent de **zones rocheuses et dénudées**, arrosées irrégulièrement par des orages rares et violents. Ici, où la moindre goutte d'eau est précieuse, tous les moyens sont bons pour l'absorber et la garder en réserve...

Le saguaro : le géant des westerns

L'euphorbe des Canaries : le climat fait la plante

LA PLUS TROMPEUSE

L'euphorbe des Canaries
îles Canaries

Non, ce n'est pas un cactus !
Confrontée à un climat désertique, cette euphorbe a évolué logiquement vers la forme la mieux adaptée, transformant même ses feuilles en épines... Pour les distinguer, c'est facile : l'euphorbe possède des fleurs miniatures très sophistiquées, au lieu de la grosse fleur simple du cactus. Autre différence : l'euphorbe contient un liquide blanc et épais appelé « latex ».

LA PLUS GRANDE

Le saguaro
Mexique et Arizona

C'est le plus grand et le plus gros de tous les cactus : il peut mesurer jusqu'à 15 m de haut, pour un poids de 6 à 10 tonnes. Il détient aussi le record de longévité, capable de dépasser les 300 ans ! Quant à sa fleur, emblème de l'état d'Arizona (États-Unis), elle possède environ 3 500 étamines. Parfois, bien à l'abri au milieu de ses millions d'épines, une petite chouette installe son nid dans le tronc.

LA PLUS ÉTRANGE

Le welwitschia
désert du Namib - Afrique du Sud

Relique des temps anciens, cette plante se compose de deux longues feuilles épaisses comme du cuir, enturbannées sur elles-

L'HAWORTHIA OU LA VIE CACHÉE

Au moment des pluies, on la voit déployer sur le sable ses petites feuilles épaisses. Mais, dès que la saison sèche revient, pfftt ! L'haworthia disparaît dans le sol, ne laissant émerger que l'extrémité de ses feuilles en forme de petit toit plat. Son secret ? Une racine « active », capable de se gonfler et de se rétracter au rythme de son absorption d'eau. Un bon moyen de fuir à la fois le soleil, l'évaporation... et les herbivores affamés !

mêmes. Frottées sur le sable par le vent, ces feuilles s'usent à leur extrémité, mais repoussent au fur et à mesure par la base... Et comme, dans le désert du Namib, il ne pleut presque jamais, le welwitschia utilise ses feuilles pour condenser l'eau des brouillards dérivant depuis l'Atlantique, avant de la faire dégouliner vers ses racines.

Le welwitschia : elle « boit » le brouillard

LES PLANTES DU FROID

En montagne comme près des pôles, les plantes doivent affronter des climats similaires : le vent, la neige, les écarts extrêmes de température... Alors, mieux vaut pousser au ras du sol, en touffes serrées. Et pour les plus évoluées, rassembler **toute l'énergie disponible** pour produire pendant le (très court) été, des fleurs rivalisant de couleurs et d'odeurs !

LA FLEUR LA PLUS CÉLÈBRE

L'edelweiss
Alpes, Pyrénées

En réalité, il ne s'agit pas d'une seule fleur, mais d'un ensemble de fleurs minuscules regroupées ! Quant aux fameux « pétales », ce ne sont que des feuilles transformées, couvertes de poils pour se rendre plus attirantes et se protéger des intempéries.
L'edelweiss, strictement protégé, peut être cultivé en plaine, mais il perd alors de sa pureté.
Sa blancheur se ternit, sa tige et ses feuilles s'allongent et leurs poils disparaissent.

DES ALGUES EN MONTAGNE !

Le cryoplancton, ce sont des algues microscopiques vivant dans les neiges éternelles jusqu'à 7 000 m et plus. Mais les plus spectaculaires se rencontrent plus bas, sur les glaciers. Dès qu'apparaît le soleil, elles se mettent à nager dans le film d'eau qui se forme à la surface. Et comme il en existe des rouges, des vertes, des jaunes et des pourpres, les alpinistes voient parfois la glace se colorer comme un sirop...

L'edelweiss : étoile des neiges...

LA FLEUR LA PLUS HAUTE

La renoncule des glaciers
Europe

Elle mesure 6 à 12 cm et produit en été des petites fleurs blanches (ou parfois roses). Cette petite plante toute simple se faufile entre les roches des montagnes, où elle pousse en petits coussinets serrés. Son record à elle ? D'être la plus haute fleur d'Europe, puisqu'on la rencontre jusqu'à 4 300 m. Quant à sa proche cousine de l'Himalaya, *Ranunculus lobatus*, elle détient le record du monde, ayant été trouvée à 6 400 m d'altitude !

La renoncule des glaciers : au creux des roches

L'ARBRE LE PLUS RÉSISTANT

Le saule arctique
Arctique

C'est l'arbre le plus septentrional du monde : on le rencontre dans l'Arctique jusqu'à 83° N.

Le saule arctique : ramper pour vivre

Comme son cousin le saule nain des montagnes, qui grimpe à 4 000 m, ses branches peuvent atteindre 5 m de long, mais... sans jamais s'élever à plus de 10 cm de hauteur ! On peut donc marcher au-dessus de la forêt. Moins exposés au vent, ces plus petits arbres du monde passent tout l'hiver sous une couverture de neige qui les protège du froid de la surface.

LES PLANTES DE L'HUMIDE

Marais, marécages, tourbières... Toutes ces zones humides jouent un rôle important dans la **régulation** du climat. Elles absorbent les grosses pluies, réduisant les risques d'inondations, et libèrent peu à peu leur eau pendant les périodes sèches. Les plantes, bien sûr, profitent au maximum de ce formidable **réservoir de vie**. Sur une même surface, certains marécages fournissent 8 fois la quantité de matières végétales d'un champ de blé ordinaire !

Le roseau : ami du vent

La jacinthe d'eau : ennemi public

LA PLUS ENVAHISSANTE

La jacinthe d'eau
Amérique, Afrique, Asie

Apportée à La Nouvelle-Orléans en 1884, elle eut vite fait de conquérir la Louisiane. En 1890, depuis un jardin botanique de Java, elle se répandit dans tout le Sud-Est asiatique... Quand un seul pied de jacinthe d'eau se plaît sur une rivière, il peut produire 60 000 nouvelles plantes, étouffant animaux et végétaux, entravant le passage des bateaux ! Longtemps redoutée comme un fléau, on sait aujourd'hui la combattre, et on la cultive dans les bassins de traitement des eaux usées pour sa capacité d'absorber les métaux toxiques dissous.

LA PLUS GRANDE

Le roseau
monde entier

Comme l'herbe ou le bambou, il appartient à la grande famille des graminées, et apprécie les eaux peu profondes du bord des étangs. Alors, le roseau pousse à toute allure, jusqu'à atteindre 3 ou parfois 4 m de haut. Et peu lui importe que le vent souffle en rafales violentes : grâce aux nœuds qui relient les segments de sa longue tige, il peut se plier jusqu'à l'horizontale, sans jamais se rompre.

La sphaigne : épaisse éponge

LA PLUS SALÉE

La salicorne
bord de la Méditerranée et de l'Atlantique

Elle vit les pieds dans le sable, et reçoit souvent de gros paquets d'eau de mer. Mais la salicorne ne craint rien : c'est la plante supportant la plus forte concentration de sel au monde. Ses tiges en sont gorgées, et quand on marche dessus, elles éclatent comme du verre. Une drôle de plante, qui est aussi parfaitement comestible. Les amateurs la cuisinent comme des asperges et apprécient son goût amer... et salé !

LA PLUS ABSORBANTE

La sphaigne
Europe

Dans les régions froides et humides, elle forme d'immenses tapis végétaux. Ce sont les fameuses « tourbières », imbibées en surface comme des éponges : la sphaigne peut absorber 3 fois son poids en eau ! En dessous, les couches anciennes de la plante meurent sans parvenir à se décomposer, à cause du manque d'oxygène. Ainsi, sur plusieurs mètres d'épaisseur, s'accumule lentement la tourbe végétale.

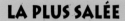

La salicorne : bon appétit !

La reine de la nuit : un parfum de vanille

LA FLEUR LA PLUS PARFUMÉE

La reine de la nuit
Jamaïque

365 jours et 364 nuits par an, c'est un cactus plutôt ordinaire, aux tiges carrées. Mais, durant une chaude nuit d'été, il produit une fleur extraordinaire. Énorme (jusqu'à 35 cm de diamètre), elle répand l'un des parfums les plus puissants du règne végétal qui embaume des kilomètres à la ronde. Son but ? Attirer les chauves-souris, qui se chargeront de féconder la plante. Au petit matin, la fleur sera déjà fanée, mais le miracle assuré de se reproduire l'année suivante.

LES PLANTES DE LA JUNGLE

Le long de l'équateur, la terre est couverte de profondes forêts toujours vertes. Ce sont les forêts tropicales, où vivent la majorité des plantes (et des animaux) de la planète. Ici, tout est **plus grand, plus rapide, plus exubérant**... Ici, il fait chaud toute l'année, et la pluie quasi quotidienne est comme une marée nourricière... Mais attention : la lutte pour la survie est féroce !

LA LIANE LA PLUS LONGUE

Le palmier rotang
Asie du Sud-Est

Incroyable mais vrai : cette plante-là constitue le plus long être vivant de tous les temps ! Le palmier rotang possède des lianes qui peuvent dépasser les 300 m de long, pour un diamètre d'environ 5 cm. Et on s'assoit dessus tous les jours sans le savoir ! Une fois découpée l'écorce de ses longs entre-nœuds en fines lanières, les Asiatiques en fabriquent... des meubles en « rotin », le nom commun de ce drôle de végétal.

Le palmier rotang : on s'assoit dessus

Le figuier étrangleur : Serre-moi fort !

L'ARBRE LE PLUS ÉTOUFFANT

Le figuier étrangleur
Amérique, Afrique, Asie

Ce figuier-là est un *squatter* ! Ses graines, nichées dans les branches des grands arbres, commencent par développer de longues racines qui descendent tout au long du tronc, jusqu'à venir s'enfoncer dans le sol. Alors, elles commencent à grossir... En quelques années, elles peuvent épaissir tellement que le figuier finit par étrangler son hôte, qui meurt et pourrit en abandonnant une enveloppe vide.

L'ARBRE LE PLUS GRAND

Un « houppier »
Amérique, Afrique, Asie

De loin en loin, au-dessus du dais de verdure appelé « canopée », qui culmine à 30 m au-dessus du sol des forêts tropicales humides, on voit surgir l'un de ces géants appartenant à de très nombreuses espèces. Les « houppiers », c'est leur surnom, peuvent atteindre 60 m de haut. Ils sont soutenus par un tronc énorme, flanqué à sa base de contreforts naturels. Et comme de

nombreuses autres plantes rêvent aussi d'accéder à la lumière, un seul de ces arbres peut supporter... plus de 30 autres espèces végétales !

Un « houppier » : il domine tout

RECORDS EN VRAC

Grâce aux plantes, nous pouvons nous nourrir, nous vêtir, nous soigner, construire des objets... Ce « miracle » quotidien n'est qu'un des résultats de **la diversité végétale**, lentement conquise au fil de l'évolution. En explorant toutes les voies, en occupant tous les espaces disponibles, les végétaux tissent en permanence les matériaux nécessaires à la vie. Et si certains constituent des « records », n'oublions jamais que tous sont également précieux !

LE COCOTIER, L'ARBRE LE PLUS « UTILE »

Feuilles (palmes) : toitures, cloisons

Coque de la noix : ustensiles de cuisine, boutons, charbon de bois

Fibres (bourre) : cordes, brosses, tapis

Amande fraîche : nourriture, boisson

Amande séchée (coprah) : huile

Tronc (stipe) : matériau de charpente

Sève : vin, eau-de-vie

Noix : huile, nourriture, boisson

TECHNOLOGIE RECORD

Avec les coques de noix de coco, on fabrique un charbon de bois utilisé pour filtrer l'eau des centrales nucléaires. Un exemple parmi beaucoup d'autres, où la technologie de pointe se marie avec un matériau « de base » !

LES PLANTES DISPARAISSENT

Les plantes ne sont pas immuables : chaque jour, des espèces naissent et des dizaines d'autres meurent, détruites par l'avancée de l'homme dans les forêts tropicales. Parmi elles, combien auraient pu être aussi précieuses que l'écorce de ce saule commun, qui permit en 1828 de découvrir... l'aspirine !

LA CROISSANCE

Le but d'un végétal, c'est de croître, pour occuper le plus possible **d'espace vital**. Certains vont très vite, d'autres beaucoup plus lentement, mais le phénomène est toujours le même : sur le plus vieil arbre, chaque bourgeon qui éclot est aussi jeune et nouveau que la toute nouvelle plante issue d'une graine !

LA PLUS LENTE

Le lichen
monde entier

Mon premier est un champignon, mon second est une algue : mon tout forme un lichen, une association végétale capable de survivre dans les conditions les plus rudes. En revanche, sa croissance est toujours très lente, le record étant détenu par un lichen rouge de montagne : 0,2 mm par an, soit... 2 cm par siècle !

*Le lichen :
deux plantes en une*

Le bambou : une herbe géante   *Le bonzaï : la passion miniature*   *Le gui : il pousse à l'envers !*

LA PLUS RAPIDE

Le bambou
endroits humides

Ils peuvent croître de 90 cm par jour, soit plusieurs cm à l'heure. Mais comment font certains bambous pour atteindre ce record absolu ? Comme toutes les graminacées, en adoptant une structure articulée par des nœuds. Ensuite, il ne reste plus qu'à étirer leurs entre-nœuds... Une stratégie qui peut mener très haut : la plus grande plante du monde (excepté les arbres), fut un bambou indien, mesuré en 1904 à 37 m de hauteur !

LA PLUS ÉTONNANTE

Le gui
Europe, nord de l'Asie

Le gui est un parasite : installé sur un arbre, il en perfore l'écorce pour pomper la sève

LA PLUS CONTRARIÉE

Le bonzaï
culture humaine

Au départ, c'est un arbre comme les autres. Mais pas question de le laisser pousser librement ! Depuis des siècles, au Japon, les amateurs ont multiplié les techniques pour le forcer à devenir un nain. Coupes, torsions, ligatures... À l'âge de 100 ans, les plus beaux bonzaïs atteignent environ 30 cm de haut, 2,5 cm de diamètre, et ressemblent... à un arbre en miniature.

et s'en nourrir. Puis, il se met à pousser... à l'horizontale, et souvent même la tête en bas ! Explication : ses feuilles et ses tiges ne sont pas influencées par la gravité qui élève les autres végétaux vers la lumière. Quant à ses graines, elles refusent de germer si elles sont recouvertes de terre.

LES FLEURS

La structure des fleurs varie énormément. Mais toutes sont constituées des mêmes parties et poursuivent le même but : effectuer **la pollinisation** afin de produire des graines. Pour cela, chaque fleur a puisé au fil de l'évolution dans la vaste palette de la nature, **se spécialisant** pour séduire un groupe d'insectes précis. À chacun son nectar !

Le rafflésia :
drôle de parfum

LA PLUS GROSSE

Le rafflésia
Sud-Est asiatique

Elle mesure jusqu'à 1 m de diamètre et pèse en moyenne 8 kg : le rafflésia de Sumatra et Bornéo cumule tous les records ! Sans feuilles ni tige, la plante se développe comme un champignon au ras du sol, en parasitant les racines d'une grande liane. Seule apparaît à la saison son énorme fleur pour attirer de petites mouches envoûtées par son irrésistible odeur... de viande pourrie.

LA PLUS PETITE

Le wolffia
eaux douces

À la surface des étangs, le wolffia forme un tapis végétal apparemment banal. Pourtant, cette minuscule lentille d'eau sans racines porte la plus petite fleur du monde, dont le diamètre ne dépasse pas 0,3 mm ! Elle n'a pourtant rien de primitif, au contraire : on estime que son unique étamine et son unique ovule constituent un aboutissement végétal. La nature est une telle passionnée de miniaturisation...

Le wolffia : confetti flottant

Les composées : chaque fleur est un bouquet

LES PLUS COMMUNES

Les composées
monde entier

Les marguerites, les tournesols et 25 000 autres espèces constituent ensemble la plus grande famille de fleurs. On les appelle « composées », car ce que nous prenons pour une fleur n'est en réalité qu'un assemblage de centaines de fleurs minuscules, les fleurons, serrées les unes contre les autres. Ceux qui se trouvent au centre ont la forme de petits tubes, et ceux qui sont vers l'extérieur possèdent des languettes qui font saillie... en imitant des pétales !

LA PLUS LONGUE

L'angræcum
Madagascar

Quand Charles Darwin découvrit cette orchidée en 1850, il remarqua d'abord son éperon étonnant, profond de 40 cm, au fond duquel baignait un nectar sucré. Et annonça qu'il devait donc exister un insecte possédant une trompe de la même longueur. Mais ce n'est qu'au début de ce siècle qu'on découvrit un papillon de nuit portant une étrange spirale sur la tête, et qui se dépliait en une trompe... de 40 cm de long ! Bravo, monsieur Darwin !

L'angræcum : un mariage de raison

LES GRAINES

À partir d'un simple grain de pollen venu féconder une fleur, chaque graine d'une plante est le résultat d'une chaîne d'événements extraordinaires. Pourtant, l'aventure ne fait que commencer : protégé par une coque, entouré d'éléments nutritifs, **l'embryon végétal** attend patiemment son heure pour germer...

L'ecballium : le cornichon à réaction

LA PLUS GROSSE

La noix de coco de mer
îles Seychelles

Si les collectionneurs s'arrachent cette double noix de coco (aujourd'hui protégée), c'est qu'elle ressemble... à un postérieur bien rebondi ! « Coco-fesses » est d'ailleurs le surnom de la plus grosse graine du monde, qui peut atteindre un poids de 25 kg. Sa réserve de nourriture est si importante qu'elle est capable toute seule de produire une jeune plantule atteignant 30 cm de long, avec des racines déjà robustes...

La noix de coco de mer : à faire rougir

LA PLUS VIOLENTE

L'ecballium
bord de la Méditerranée

De nombreuses plantes sont capables de projeter leurs graines au loin. Mais la plus spectaculaire de toutes est une variété de cucurbitacée appelée aussi « concombre-attrape ». Si on la touche, elle projettera brusquement une gerbe de graines enrobées dans un liquide gluant... jusqu'à 10 m de distance. Et quand ses fruits sont bien mûrs, il suffit même de marcher près de la plante pour que le tir se déclenche !

Le lupin arctique : la graine congelée

LA PLUS PATIENTE

Le lupin arctique
Amérique du Nord

Pour résister aux grands froids, les graines de nombreuses plantes savent se mettre en « hibernation », en attendant le moment propice pour germer. Parfois, cela peut durer très longtemps. Le record actuel est détenu par une graine de lupin arctique, que des chercheurs ont réussi à faire germer après l'avoir trouvée dans une poche de boue gelée depuis... plus de 10 000 ans !

L'orchidée : invisible à l'œil nu

LA PLUS PETITE

L'orchidée
monde entier

Au contraire d'une fleur « normale », produisant quelques graines robustes, chaque orchidée (ici, un sabot-de-Vénus, la plus grande fleur d'Europe) en fabrique plusieurs milliers, qui ne sont qu'un petit amas de cellules sans aucune réserve de nourriture. Il faut en moyenne 1,2 million de graines pour atteindre un gramme ! Et très peu seront capables de germer, car elles ont absolument besoin de s'associer avec un champignon pour pouvoir se nourrir.

LES FRUITS

Qu'est-ce qu'un fruit ?
Une enveloppe qui contient
des graines et peut adopter
toutes sortes de structures
végétales. Mais les plus
connus, bien sûr, sont ceux
produisant une chair juteuse
et parfumée, pour **attirer
les animaux** qui
disperseront les graines...
après les avoir fait transiter
par leur estomac !

La bardane : une idée géniale

LE PLUS PETIT

L'akène
monde entier

Surprise ! Malgré
les apparences, la fraise
n'est pas un fruit. Plus
exactement, c'est un faux
fruit, appelé « polyakène ».
Sa pulpe rouge et
parfumée n'est qu'une
excroissance de chair
destinée à attirer les
gourmands, qui avaleront en
même temps les vrais fruits :
les minuscules akènes collés
à la surface. Comme les baies
ou les drupes, ceux-ci sont formés
à partir d'un seul ovule,
et contiennent une seule graine.

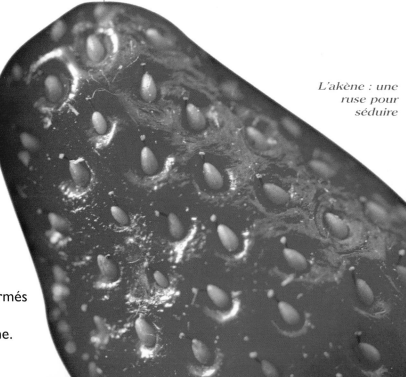

*L'akène : une
ruse pour
séduire*

LE PLUS ACCROCHEUR

La bardane
Europe

Ce fruit-là n'est pas du tout comestible. Et pour cause ! Il est entièrement hérissé d'épines crochues qui s'accrochent à la fourrure des animaux de passage (ou aux vêtements des hommes), pour s'en aller disséminer ses graines. Pourtant, ce fruit est à l'origine d'une grande invention moderne : le Velcro, dont les boucles en plastique sont directement inspirées de celles de la bardane !

La citrouille : grosse comme un carrosse

LE PLUS GROS (AU SOL)

La citrouille
origine incertaine : Mexique ou Himalaya

Le record actuel s'élève à... 375 kg ! La citrouille, une plante à tiges rampantes de la famille des cucurbitacées, produit le plus gros fruit du monde (composé de plus de 90 % d'eau). Ses fleurs femelles peuvent atteindre 15 cm de diamètre, contre 8 à 9 cm pour les fleurs mâles. Ses graines, enfin, pèsent en moyenne 0,25 g : dans le cas de notre « géante », cela fait une croissance d'un million et demi de fois !

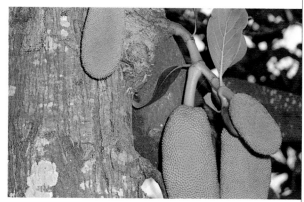

Le fruit du jaquier : attention la tête !

LE PLUS GROS (EN L'AIR)

Le fruit du jaquier
régions tropicales

La première fois qu'on en voit un, on a du mal à y croire. Un fruit, cette énorme boule verte hérissée d'épines, accrochée directement au tronc de l'arbre, et dont le poids peut atteindre 40 kg ? Eh oui, même si, en réalité, il s'agit d'un « fruit complexe » : un agglomérat de plusieurs centaines de noyaux entourés chacun d'une épaisse pulpe jaune orangé. Quant à son goût, très parfumé, il rappelle un peu celui du chewing-gum « Tutti frutti »...

QUELQUES RECORDS PRODUITS PAR L'HOMME

• Ananas	10 kg	• Melon cantaloup	28 kg
• Courgette	80 kg	• Pastèque	118 kg
• Citron	3,8 kg	• Poire	1,4 kg
• Fraise	230 g	• Pomme	1,4 kg
• Raisin (grappe)	9,4 kg	• Tomate	3,5 kg
• Pamplemousse	3 kg		

LES FEUILLES

Les feuilles des plantes sont si variées que les botanistes ont inventé un langage rien que pour décrire leurs formes et la manière dont elles s'attachent sur la tige. Leur rôle commun à toutes ? Absorber l'énergie du soleil, pour fabriquer des **éléments nutritifs** à partir de substances simples. C'est ce processus de photosynthèse qui nourrit directement ou indirectement tous les êtres vivants !

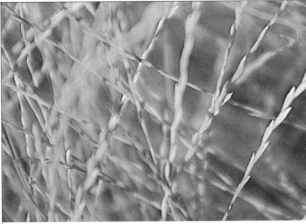

Le chiendent : cauchemar des jardiniers

LE PLUS GROS NÉNUPHAR

Le Victoria regia
Amérique du Sud

Ses feuilles, qui peuvent atteindre 2 m de diamètre, sont capables de supporter le poids d'un bébé assis au milieu ! Ce nénuphar extraordinaire, le plus gros au monde, se distingue aussi par sa forme en « moule à tarte », avec des rebords hauts de 15 à 20 cm hérissés de piquants. Mais, en cas de pluie, deux fentes permettent à l'eau de s'écouler, sans quoi... la feuille coulerait sous le poids !

Le Victoria regia : reine de l'Amazone

LA FEUILLE LA PLUS COMMUNE

Le chiendent
monde entier

Ces feuilles-ci n'ont rien de spectaculaire. On les voit même partout. Le chiendent constitue en réalité la plante la plus répandue au monde, incroyablement envahissante et tenace. Son secret ? Comme toutes les graminées, il repousse par la base. Ce qui signifie que tant qu'on n'aura pas arraché sa racine, il continuera à produire des feuilles sur ses longues tiges qui peuvent atteindre 1,20 m de haut.

LA PLUS GRANDE FEUILLE

L'oreille d'éléphant
milieux tropicaux humides

Elle figure en bonne place dans tout jardin tropical digne de ce nom. L'oreille d'éléphant (appelée ainsi à cause de sa forme), est la plus grande feuille sans division du règne végétal. Le record mesuré à ce jour dépasse les 3 m de long, pour une surface totale de 3,2 m². La croissance de la plante est rapide, les feuilles se succédant sans cesse à partir de la souche vivace.

L'oreille d'éléphant : elle envelopperait un homme

LA PLUS GRANDE PALME

Le raphia
îles Mascareignes

Le raphia, nous en avons tous déjà utilisé, sous forme de natte, de sets de table, d'emballage... Il se tresse facilement, et la matière première ne manque pas : une seule des feuilles (ou « palmes ») de ce géant peut atteindre 20 m de long, dont 4 m rien que pour le pétiole ! Abondant à l'île Maurice et à l'île de la Réunion, il en existe aussi une autre espèce en Amazonie qui atteint les mêmes records.

Le raphia : la plus utile aussi

LE BOIS

Le bois est le tissu le plus dur que puisse produire une plante. Mais toutes n'ont pas cet extraordinaire pouvoir ! Il leur faut pour cela fabriquer une substance appelée « lignine », capable de **rigidifier les cellules**. Alors, plus rien ne s'oppose à ce que l'arbre s'élève et vive très longtemps, en inscrivant chaque saison un nouvel anneau sur son tronc, mémoire vivante de son histoire...

LE BALSA, LÉGER, LÉGER !

C'est un bois blanc-rose au grain grossier, dont la densité varie de 0,05 (50 kg/m^3) à 0,38 (380 kg/m^3) : pas de doute, le balsa est bien l'un des plus légers au monde. Très apprécié des modélistes qui l'utilisent pour leurs maquettes, le balsa est tiré d'un arbre qui pousse très vite. En 3 ans, il peut atteindre 12 m de haut, et participe à repeupler rapidement les sols dénudés par un défrichage intensif ou un incendie.

LE BOIS LE PLUS LOURD

L'olivier
Bassin méditerranéen

Un bois ordinaire pèse environ 600 à 800 kg au m^3 : on dit qu'il a une densité de 0,6 à 0,8, ce qui lui permet de flotter sur l'eau qui pèse 1 000 kg au m^3. En Europe, le bois le plus dense est celui de l'olivier, qui atteint une densité de 1, soit 1 000 kg/m^3. Bien moins pourtant que son cousin tropical *Olea laurifolia*, appelé aussi « bois de fer », dont 1 m^3 pèse... 1 490 kg. Inutile d'essayer d'en faire un radeau.

L'olivier : solide comme le roc

*Le chêne-liège :
l'arbre qu'on déshabille*

L'ÉCORCE LA PLUS PROLIFIQUE

Le chêne-liège
Bassin méditerranéen

Les séquoias géants possèdent la plus grosse écorce au monde, qui peut atteindre 30 cm d'épaisseur. Celle du chêne-liège est beaucoup plus modeste, avec 5 cm en moyenne. Mais elle pousse à toute allure ! Tous les 8 ans, on dépouille l'arbre adulte de son liège (qui pèse environ 250 kg au m³), en prenant soin de ne pas abîmer les couches de bois inférieures. Régulièrement « démasclé », l'arbre peut vivre jusqu'à 150 ans, contre 400 ans si on le laissait tranquille...

LE PLUS GROS TRONC

Le baobab
Afrique, Australie, Madagascar

Sa silhouette est vraiment incroyable. Un tronc énorme, pouvant dépasser 50 m de circonférence, surmonté de branches qui semblent toutes petites. La raison de cette évolution ? Le baobab, habitué aux régions sèches, a appris à faire des réserves d'eau qu'il stocke comme dans une outre. Quitte à « maigrir » de plusieurs mètres quand la sécheresse se prolonge... En langue malgache, son nom signifie « arbre de 1 000 ans », mais il peut vivre 3 ou 4 fois plus !

Le baobab : l'arbre qui maigrit

LES RACINES

On aurait parfois tendance à croire que les racines d'une plante ressemblent à sa forme « à l'envers ».
Rien n'est moins vrai !
Car pour **soutenir** un grand arbre, mieux vaut en général un large tapis de racines relativement peu profondes.
Mais la fonction première des racines, bien sûr, est d'abord d'**alimenter** la plante en eau et en sels minéraux dissous...

La mandragore : fille du pendu

LA PLUS LÉGENDAIRE

La mandragore
Afrique du Nord

C'est une petite plante aux fleurs bleues qui émettent la nuit une légère luminescence. Sa racine aussi est curieuse : longue de 50 à 80 cm, elle évoque souvent la forme d'un corps humain. Alors, on racontait que la mandragore naissait sous les gibets, de la semence des pendus, et que quiconque voudrait la déterrer serait foudroyé par son cri aigu... Aujourd'hui, c'est beaucoup moins poétique : on extrait de la racine (entre autres) un produit pour lutter contre le mal des transports !

LA PLUS CONQUÉRANTE

Le banian
Asie

Pour les Indiens, c'est un arbre sacré. Pour les autres, un record botanique absolu : à lui seul, un banian peut avoir jusqu'à 350 gros troncs et 3 000 petits, et couvrir une superficie de plus de un hectare ! Sur ses branches poussent en effet des racines aériennes qui viennent s'enfoncer dans le sol, se transformant bientôt en un nouveau tronc, produisant de nouvelles branches qui elles-mêmes... (histoire sans fin).

Le banian : une forêt à lui seul

Le palétuvier : qu'importe la marée...

LA PLUS AMPHIBIE

Le palétuvier

rivages tropicaux

Cet arbre-là, venu de la terre, a su coloniser un endroit habituellement réservé aux algues marines. Son secret ? Il possède deux sortes de racines : les premières, en forme d'échasses, lui permettent de rester toujours hors de l'eau ; les secondes, émergeant de la vase à marée basse, absorbent l'oxygène indispensable à la respiration de la plante. Et cela fonctionne tellement bien que le palétuvier constitue à lui seul la base de vastes formations végétales appelées « mangroves »...

LE PROSOPIS OU LA VIE EN PROFONDEUR

Quand on est un arbuste vivant dans le désert, soit on développe un système racinaire le plus large possible (pour récolter un maximum d'eau de pluie), soit on descend chercher l'eau dans les nappes souterraines. Le *Prosopis*, lui, a choisi d'enfouir ses racines jusqu'à 50 m, soit plus de 10 fois sa hauteur. Mais le record absolu serait détenu par un figuier sauvage d'Afrique du Sud, dont les racines plongeraient... à 120 m de profondeur !

SE DÉFENDRE

Pour se protéger de leurs ennemis, les plantes ont développé toutes sortes de stratégies de défense. Cela peut aller du **camouflage** inoffensif aux poisons les plus toxiques, en passant par toutes sortes **d'armures**. Mais quoi ? Pourquoi se laisseraient-elles impunément approcher par des animaux grossiers qui les brouteraient en moins de deux ?

L'ortie brûlante : Aïe !

LA PLANTE LA MIEUX CAMOUFLÉE

Le lithops
Afrique du Sud

Cette plante des régions sèches ne se compose que de deux feuilles, tellement épaisses qu'elles ressemblent à des cailloux ! Le lithops, qui vit au ras du sol, est l'une des rares plantes à adopter le mimétisme végétal pour se défendre. Mais, comme il faut bien se reproduire, il apparaît parfois une grosse fleur entre les deux feuilles. Les insectes doivent alors faire très vite : la floraison ne dure qu'un après-midi, de peur de se faire repérer.

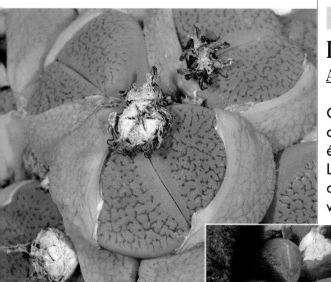

Le lithops : la plante-pierre

LA PLANTE LA PLUS IRRITANTE

L'ortie brûlante
climats tempérés

L'ortie brûlante, tout le monde la connaît. Et la redoute ! Dès qu'on la touche, ses poils acérés se cassent comme du verre, et injectent (comme une seringue) dans l'épiderme un mélange de substances chimiques provoquant une douloureuse irritation. Mais l'ortie ne détient pourtant pas le record du monde : d'autres plantes, comme les *Laporteas*, des arbustes de Nouvelle-Guinée, sont réputées encore plus toxiques.

Le mancenillier : un arbre-poison

LA PLANTE LA PLUS TOXIQUE

Le mancenillier
Antilles

Appelé aussi « arbre de la mort », ce petit arbre des Antilles (de 5 à 7 m de hauteur) est particulièrement redouté par l'homme. Le simple contact de ses fruits, de ses feuilles, de son latex et surtout de son écorce provoque de graves malaises. On se souvient même d'un temps où il servait d'arbre à supplices : le condamné, torse nu, était ligoté à l'arbre, la peau au contact de l'écorce, et mourait en moins de 24 heures.

LA PLANTE LA PLUS PIQUANTE

Le cactus porte-couteaux
baie de Magdalena, Mexique

La plus longue épine du monde reste encore à découvrir ! Mais à défaut de détenir ce record-là, le cactus porte-couteaux (comme nombre de plantes des régions sèches), ne redoute aucun herbivore. Bardé de piquants longs de 10 à 15 cm, il progresse très lentement sur le sol (2,5 cm par an), où il se fixe par de nouvelles racines. Son seul ennemi ? L'homme qui, en irriguant les zones où il vit, le condamne à une probable disparition.

*Le cactus porte-couteaux :
comme un gros serpent*

Le rossolis à feuilles rondes :
piège de colle

LES PLANTES CARNIVORES

Les plantes carnivores **« mangeuses d'hommes »** n'ont pas encore été inventées par l'évolution. En revanche, nombreuses sont celles qui se nourrissent d'insectes ou de petits animaux. Mais toutes trouvent là un complément nutritif indispensable pour compenser la pauvreté du sol de leur habitat d'origine.

LA PLUS RÉPANDUE

Le rossolis à feuilles rondes

monde entier - commun en France

Appartenant à la famille des droséracées, cette plante carnivore serait la plus répandue au monde. Large de 10 à 12 cm, elle pousse sur le sol, et possède des feuilles rondes entourées de petits poils rouges où perle une goutte de liquide collant. Le moucheron, attiré par ce qu'il pense être de la rosée, vient s'y engluer. Alors, lentement, les poils (et parfois la feuille) se recourbent autour de lui... En moins d'une heure, l'insecte sera étouffé. Deux jours plus tard, quand la plante se dépliera à nouveau, il aura été complètement digéré.

LA PLUS PROFONDE

Le népenthès
Asie du Sud-Est surtout

La famille des népenthès, qui compte 72 espèces, s'attaque à toutes sortes de proies : moucherons, papillons, blattes, fourmis, petits arthropodes... À cet effet, leurs feuilles sont terminées par une « urne » en forme de cornet pouvant atteindre 35 cm de profondeur, surmontée d'une sorte de couvercle qui la protège de la pluie. À l'intérieur, un liquide odorant attire les insectes qui dérapent sur les parois glissantes, tombent au fond de l'urne, et s'y noient sans plus pouvoir remonter...

Le népenthès : mortelle baignade

LA PLUS IMPRESSIONNANTE

La dionée
États-Unis - Caroline du Nord et du Sud

Elle fut la première plante carnivore « découverte » vers 1750. Les deux lobes du piège de la dionée (unique en son genre) sont munis de 15 à 20 dents chacun. Dès qu'un insecte s'y pose, la feuille réagit comme l'éclair : en 1/30 de seconde, l'ensemble s'est refermé comme une mâchoire. Ensuite, la dionée analyse sa prise : si elle contient des protéines, la digestion commence, qui durera environ 2 semaines... Sinon, elle s'ouvre pour la rejeter. Chaque piège peut attraper 3 ou 4 insectes avant de mourir, et, pour éviter qu'il ne se déclenche pour rien, les petits cils qui tapissent l'intérieur de la feuille doivent d'abord ressentir 2 secousses consécutives.

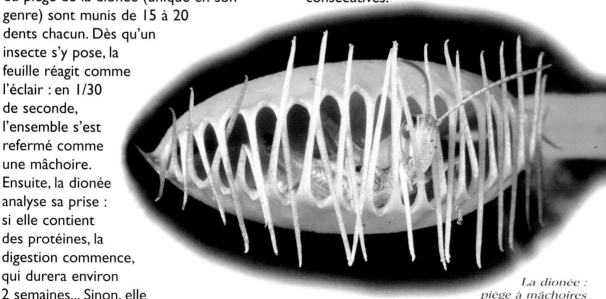

La dionée :
piège à mâchoires

Avec **plus d'un million d'espèces** recensées, les animaux forment le plus important des trois règnes vivants. Leurs principaux points communs ? Le besoin de se procurer de la nourriture et la possibilité de se déplacer pour aller la chercher ! Les végétaux, bien sûr, fournissent la base de la chaîne alimentaire. Mais chaque herbivore constitue à son tour une source de nourriture pour des centaines d'autres animaux : carnivores, insectivores, parasites...

A Le Monde Animal

Record d'équilibre

Spectaculaires, les grandes concentrations animales ! Pourtant, la nature ne se trouve que rarement déséquilibrée par la prolifération d'une espèce. Du moins, tant qu'il ne s'agit pas de l'homme...

RECORDS PAR CLASSE

De l'amibe à l'éléphant,
il a fallu les « classifier ».
Deux douzaines
d'embranchements,
des dizaines de classes
et sous-classes composent
donc le règne animal.
Avec, au bout, une certitude :
**tout s'est joué dans
la mer.** Aucune nouvelle
sorte d'organisation animale
n'a évolué sur terre.
Ainsi, les arthropodes marins
se sont développés
en donnant les insectes
et les araignées ; les poissons
en donnant les amphibiens,
les reptiles, les oiseaux
et les mammifères...

LE RÊVE D'ARISTOTE

Avant Darwin (1809-1882) et sa théorie
de l'évolution, on aimait croire que
les espèces étaient invariables, chacune
ayant été créée par Dieu. Aristote,
lui (3 siècles avant J.-C.), pensait que
les souris naissaient par génération
spontanée, de l'effet du soleil sur la boue
du Nil.

Règne animal
(Animalia)
lion   étoile de mer   escarg

Embranchement
des cordés
(Chordata)
lion   requin   autru

Classe des
mammifères
(Mammalia)
lion   baleine

Ordre des
carnivores
(Carnivora)
lion   ours

Famille des
félidés
(Felidae)
lion   chat   gu

Genre
(Panthera)
lion   léopard

Espèce
(Leo)
lion

COMMENT CLASSER UN LION ?

in · autruche · baleine · souris · ours · chien · chat · guépard · léopard

leine · souris · ours · chien · chat · guépard · léopard

ours · chien · chat · guépard · léopard

chat · guépard · léopard

léopard

RECORD DE SIMPLICITÉ

L'amibe est formée d'une seule cellule.
C'est pourtant déjà un animal ! Elle se
nourrit en englobant des bactéries, et pour
se déplacer, durcit sa substance gélatineuse,
étirant sa membrane en prolongements
appelés « pseudopodes ».

LES INVERTÉBRÉS PRIMITIFS

Dans la grande classification des métazoaires (animaux constitués de plusieurs cellules), ils figurent tout **au bas de l'échelle**. Ils vivent tous dans l'eau, et ne sont en général connus que des scientifiques qui les désignent par des noms très compliqués. Pourtant, ces invertébrés-là, qui comptent des dizaines de milliers d'espèces, détiennent de curieux « records » dont voici un tout petit échantillon.

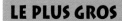

L'éponge : une très grande famille

LE PLUS GROS

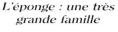

L'éponge
tous les océans

Longtemps, on les a prises pour des végétaux. Mais si les quelque 10 000 espèces d'éponges passent leur vie à filtrer l'eau, c'est bien pour en extraire des particules alimentaires ! Aux Antilles, on trouve les plus grandes : en forme de vases creux, elles peuvent atteindre 1 m de haut pour 90 cm de diamètre. Les plus lourdes, elles, ressemblent à de grosses boules pouvant contenir 100 litres d'eau, soit 30 fois leur poids sec. Quant à ce que nous appelons couramment « éponges », ce ne sont que les squelettes d'une petite dizaine d'espèces des mers chaudes.

LE PLUS ÉLÉGANT

L'anémone de mer
tous les océans

Comme toutes les formes
appelées « polypes »,
les anémones de mer sont
fixées au rocher par un pied-
ventouse qui ne leur permet
que de lents déplacements.
Mais de leur corps épais surgit
un bouquet de longs tentacules
aux couleurs très vives (qui
peuvent atteindre 80 cm) armés
de cellules urticantes. Qu'un
poisson s'approche, il sera aussitôt
piégé, paralysé, puis bientôt avalé
par la bouche centrale.

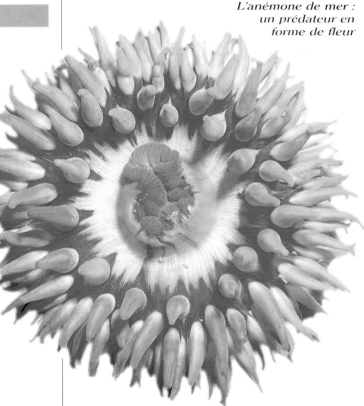

*L'anémone de mer :
un prédateur en
forme de fleur*

La méduse : qui s'y frotte s'y brûle !

LE PLUS LONG

La méduse
tous les océans

Surprise ! Méduse et anémone de mer
(polype) ne sont que deux formes
différentes d'animaux du même
embranchement : les cnidaires.
La grande différence, c'est que la méduse
peut se déplacer en contractant et relâchant
son corps en forme d'ombrelle (composé
à 97 % d'eau). Elle se laisse aussi dériver
dans les courants marins, et pour attraper
des proies, elle utilise ses longs tentacules
urticants. La plus longue mesurée à ce jour,
une méduse cyanée arctique, mesurait...
75 m d'envergure, ce qui en fait la plus
longue créature du monde animal. Record
absolu !

AU ROYAUME DES VERS

Il en existe des dizaines de milliers d'espèces différentes, appartenant à de multiples embranchements. Mais les vers ont tous en commun **un corps long et mou**, dépourvu de pattes, et souvent doté de particularités extraordinaires. Alors, courage ! Une petite visite chez ces créatures qui déroulent la vie au mètre linéaire...

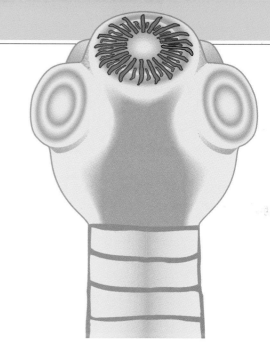

Le ténia : ennemi de l'intérieur

LE PLUS LONG VER PARASITE

Le ténia

Le ténia
monde entier

Il peut atteindre 12 m de long, cet affreux parasite ! Avec sa minuscule tête ronde munie de ventouses et parfois de crochets, le ténia se fixe solidement dans les intestins de son hôte, où il puise directement une nourriture abondante. Assez pour développer un corps fait de centaines d'anneaux plats, contenant chacun des millions d'œufs. Sous forme de larve chez le porc (ou, pour une autre espèce chez le bœuf), le ténia devient ensuite adulte... chez l'homme !

LE PLUS LONG VER MARIN

Le ver lacet
mer du Nord

Parfois, sur le rivage des côtes anglaises ou françaises, on remarque une sorte de longue ficelle brune entortillée. C'est un ver lacet (*Lineus longissimus*), le plus grand connu au monde. Il atteint souvent 20 à 30 m de long, et peut exceptionnellement dépasser 50 m ! Pas plus épais qu'un crayon, il vit dans la zone de balancement des marées, au risque parfois de se retrouver abandonné.

Le ver lacet : sur le sable abandonné

LE VER LE PLUS RÉPANDU

Le lombric
monde entier

Incroyable mais vrai : à elle seule, la famille des « vers de terre » constituerait 80 % de la masse animale vivante (humains compris) ! Dans de bonnes conditions, chaque mètre carré de terrain peut abriter jusqu'à 250 lombrics, sur plusieurs mètres de profondeur. Avec une moyenne de 2 tonnes à l'hectare, les lombrics nourrissent 200 autres espèces rien qu'en France... Quant au record connu, il appartient à une espèce d'Afrique du Sud, dont un spécimen a été mesuré à 6,70 m de long, pour 2 cm de diamètre.

Le lombric : le roi souterrain

LE VER LE PLUS ENTORTILLÉ

Le gordien
eaux douces

Les 80 espèces de gordiens appartiennent à la grande famille des vers nématodes, dont on connaît plus de 12 000 espèces répandues partout dans les conditions les plus extrêmes. Ce sont souvent des parasites et chaque vertébré en héberge au moins une espèce en permanence ! Les gordiens, eux, peuvent mesurer jusqu'à 1 m de long, et ne sont parasites qu'à l'état larvaire. Ensuite, devenus adultes, ils vivent dans les abreuvoirs, les mares et les ruisseaux. On les rencontre parfois entortillés en paquets inextricables gros comme le poing : ce sont les fameux « nœuds gordiens ».

INVISIBLE À L'ŒIL NU

L'embranchement des gastrotriches compte 450 espèces, dont les plus petites mesurent à peine... 0,1 mm de long ! Au microscope, on distingue pourtant un organisme bien évolué, pourvu d'une tête ronde, d'une queue fourchue, et de cils sur le ventre pour assurer la locomotion. Ces vers abondent dans les débris qui jonchent le fond des eaux douces ou marines, et se nourrissent d'algues, de bactéries ou de protozoaires. Comme quoi on trouve toujours plus petit que soi !

*Le gordien :
comme un nœud*

LES MOLLUSQUES

Ils possèdent tous **un corps mou** et humide, souvent protégé par **une coquille dure** imprégnée de calcaire. Grâce à elle, les mollusques furent parmi les premiers organismes à laisser des traces fossiles, il y a 570 millions d'années. Depuis, ils ont évolué jusqu'à former environ 10 000 espèces, colonisant la plupart des environnements possibles... mais aucun ne vole !

LE PLUS GROS COQUILLAGE

Le bénitier
océans Indien et Pacifique

C'est le géant des bivalves, appelés aussi « lamellibranches ». Le bénitier peut atteindre 1,15 m de long, pour un poids de 340 kg ! Mais aucun risque de se prendre le pied dedans : sa coquille demeure en permanence entrebâillée, à tel point qu'elle est recouverte à l'intérieur d'un épais manteau d'algues. Quant à son nom, il provient du fait que sa coquille était très appréciée dans les églises, pour contenir l'eau bénite.

*Le bénitier :
ami des algues*

LA PLUS GROSSE PIEUVRE

Le poulpe du Pacifique
Pacifique

Poulpe ou pieuvre ? Aucune différence, les deux noms désignent le même groupe d'animaux. Le plus grand spécimen mesuré à ce jour avait des tentacules de 5 m de long, soit 10 m d'envergure, et pesait plus de 250 kg ! Cette espèce géante de pieuvre fréquente les rivages du Pacifique Nord, du Japon à la Californie. Elle adore les crabes et les poissons, mais n'attaque l'homme que si on l'agace.

Le poulpe du Pacifique : mille ventouses

LE PLUS GROS ESCARGOT

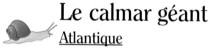

L'achatine
Afrique

L'achatine géante mesure jusqu'à 40 cm de long. Et on pourrait loger 2 douzaines d'escargots de Bourgogne dans sa coquille de 30 cm de long sur 12 cm de large. Ces rois des escargots terrestres se rencontrent en Afrique, où ils sont dans certaines régions une source de protéines très appréciée. Ils se nourrissent, la nuit, de débris animaux et végétaux qu'ils trouvent sur le sol, et pondent des œufs aussi gros que ceux d'une grive !

*L'achatine :
bon appétit !*

LE MOLLUSQUE LE PLUS LONG

Le calmar géant
Atlantique

Le « record » a été mesuré à plus de 17 m de long (dont des tentacules de 13 m), pour un tour de corps de 4 m. Comme tous les calmars, c'est un excellent nageur, grâce à un système d'eau pulsée. Il change aussi de couleur en fonction de son humeur et de son environnement et, en cas de danger, s'entoure d'un nuage d'encre avant de disparaître d'une brusque accélération.

Le calmar géant : géant à réaction

LES ARTHROPODES

Ils constituent à eux seuls **les quatre cinquièmes du règne animal** ! Parmi eux figurent bien sûr tous les insectes, mais aussi d'autres grands groupes comme les arachnides, les crustacés et les myriapodes, qui comptent ensemble plus de 100 000 espèces. Invertébrés, peut-être, mais rudement prospères...

LA PLUS GROSSE ARAIGNÉE

La mygale de Leblond
<u>Guyane</u>

Dans les forêts humides d'Amérique du Sud vit la plus grosse araignée du monde. La mygale de Leblond, dont le mâle peut atteindre... 28 cm d'envergure, pour un poids d'environ 120 g. Avec ses crochets empoisonnés de 2,5 cm de long, elle peut mordre et paralyser un rat ! Ensuite, la mygale injecte dans le corps de la victime des sucs digestifs puissants, puis elle aspire la bouillie obtenue. Slurp.

*La mygale :
gare aux crochets !*

UN CRABE SUR ÉCHASSES

En fait de crabe, il s'agit plutôt d'une sorte d'araignée de mer, qui ne vit que sur la côte ouest de l'archipel du Japon, par 50 à 300 m de fond. La carapace du crabe échassier mesure environ 35 cm de diamètre, et ses pinces écartées peuvent atteindre l'envergure incroyable de 3,50 m ! Pourtant, ce n'est pas lui le plus lourd des arthropodes : le record est détenu par le homard, avec plus de 25 kg.

LE PLUS GROS MILLE-PATTES

Le iule
monde entier

Les myriapodes, ou « mille-pattes », comptent 10 000 espèces à travers le monde. Les plus gros de tous (avec les scolopendres) sont les iules, qui peuvent atteindre 30 cm de long, pour un diamètre de 2,5 cm. Leur corps noir et luisant, parfois rayé de rouge, s'enroule en spirale dès qu'on les touche. Mais en réalité, ils ne possèdent jamais plus de 200 paires de pattes, ce qui n'est quand même pas si mal.

Le iule : le compte n'est pas bon !

LE PLUS GROS SCORPION

L'empereur tropical
Guinée

Les mâles adultes de cette espèce mesurent en moyenne 20 cm. Mais certains peuvent atteindre 30 cm et plus ! Cancrelats, sauterelles, criquets et araignées constituent les proies favorites de ce redoutable prédateur. Mais cette espèce pique rarement ses proies, se contentant de les saisir entre ses très grosses pinces.

L'empereur tropical : attention à l'aiguillon !

LES INSECTES

Chaque année, 5 000 nouvelles espèces viennent s'ajouter aux 700 000 déjà recensées ! Mais tous les insectes ne sont que des variations d'**une même structure**, qui ne peut s'appliquer qu'à des animaux relativement petits. Tête, thorax et abdomen sont constitués d'une matière (la chitine) capable de prendre toutes les formes, de la carapace jusqu'aux ailes.

Le scarabée Goliath : grand comme la main

DES AILES DE DENTELLE

Bien sûr, elle est 4 fois plus petite que son ancêtre *Meganeura*. Mais la libellule *Megaloprepus* peut tout de même mesurer 12 cm de long, pour une envergure de 19 cm ! Contrairement à la plupart des insectes, les libellules sont incapables de replier leurs ailes. Mais leur vol rapide et précis leur permet d'attraper leurs proies en plein vol, en les saisissant entre leurs pattes groupées.

L'INSECTE LE PLUS LOURD

Le scarabée Goliath
Afrique tropicale

Un mâle adulte peut peser jusqu'à 100 g : le scarabée Goliath est le plus lourd insecte au monde. Mais s'il atteint 12 cm de long, de l'extrémité des antennes à la base du corps, ce n'est pas le plus gros de sa famille. Les scarabées éléphants (Megasoma) d'Amérique centrale, construits suivant une structure plus légère, peuvent le dépasser en volume.

L'INSECTE LE PLUS GRAND

Le phasme géant
Indonésie

Il peut atteindre 40 cm de long, mais il faut un sacré coup d'œil pour le repérer. Car le phasme géant... ressemble comme deux gouttes d'eau à un végétal, avec un corps-branche épais (comme un doigt humain) entouré de six fines pattes-rameaux. Pour tromper ses ennemis les oiseaux, il passe sa journée immobile sur une vraie plante, solidement accroché par ses petites griffes.

Le phasme géant : vieille branche !

LE PLUS GRAND PAPILLON DE JOUR

Le reine Alexandra
Indonésie

Ce géant diurne ne se rencontre que sur l'île de Céram, en Indonésie. Les femelles noir et blanc sont les plus grandes, avec une envergure de 28 cm pour un poids de 25 g. Le mâle, lui, est plus petit, avec des couleurs vert et jaune métallique sur fond noir et un corps jaune vif. Heureusement pour eux, ils volent si haut qu'on ne peut les attraper au filet : le premier capturé fut abattu... à la carabine !

Le reine Alexandra : vol de jour

LES POISSONS

De tous les vertébrés,
les poissons sont le groupe
le plus diversifié.
Ce sont des animaux dits
« à sang froid », à
température variable.
Ils vivent partout où il y a
de l'eau, munis pour
la plupart d'une vessie
natatoire qui leur permet
de flotter. Il en existe au total
19 000 espèces, dont
18 000 pour les poissons
osseux. Mais, parmi ceux
à cartilage souple, figurent
les fascinants requins.

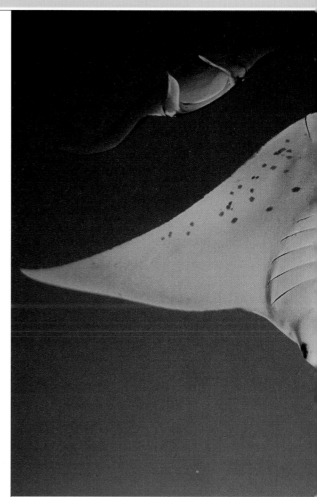

LE PLUS GRAND REQUIN

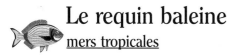

Le requin baleine
mers tropicales

Dans les eaux chaudes nage ce géant
solitaire. Il peut dépasser 15 m de long,
mesurer 7 m de tour de corps et peser
18 tonnes (autant que 3 éléphants !).
Mais dans sa bouche énorme, garnie
de dents-crochets de 6 mm à peine,
ne s'engouffrent que des proies minuscules :
plancton, petits poissons ou crustacés.

L'arapaima : roi de l'Amazone

Le requin baleine : géant paisible

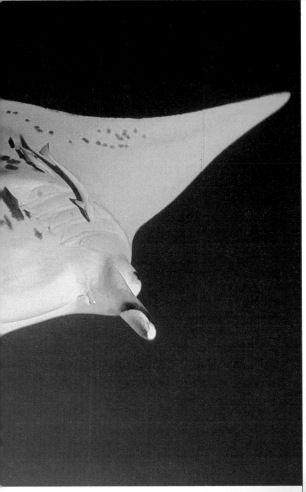

La raie manta : le diable de mer

La raie manta
mers chaudes

On dirait qu'elle vole sous l'eau :
les nageoires de la raie manta ont évolué
jusqu'à former d'immenses « ailes ».
C'est le plus large de tous les poissons.
Son envergure peut atteindre 7 m, pour un
poids de 1 500 kg. Parfois, elle bondit hors
de l'eau et retombe dans une gerbe d'écume
en faisant un bruit qui s'entend de très loin.
Mais, malgré son surnom de « diable de
mer », la raie manta est inoffensive, filtrant
l'eau pour retenir le plancton.

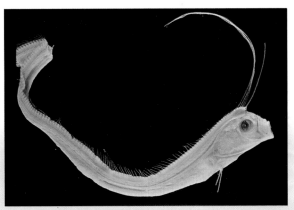

Le régalec : le serpent de mer

LE PLUS GRAND POISSON D'EAU DOUCE

L'arapaima
Amérique du Sud

Appelé aussi « Pirarucu », ce géant descend
d'une famille archaïque, les Ostéoglossidés.
Il peut dépasser les 4 m de long, pour plus
de 150 kg ! C'est le plus grand poisson
d'eau douce actuel, mais certains silures
(poissons-chats) pouvaient naguère dépasser
ce record. Au siècle dernier, en Russie,
on a pêché un silure glane de 4,60 m
de long pour 336 kg. Depuis, ces monstres
se sont raréfiés : un spécimen de 1,80 m
est déjà exceptionnel.

LE PLUS GRAND POISSON DE MER

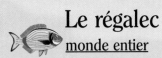

Le régalec
monde entier

Appelé aussi « roi des harengs », c'est
un poisson plutôt rare, même si on le
rencontre dans tous les océans. Le record
mesuré est de 7,60 m pour un poids de
272 kg, mais on pense que le régalec peut
atteindre 10 m de long. En forme de ruban
argenté, surmonté d'une nageoire dorsale
rouge qui court tout le long du corps, on
le soupçonne même d'être à l'origine de
certaines légendes de « serpents de mer »...

LES AMPHIBIENS

Appelés aussi « batraciens », ce sont les vrais intermédiaires entre les poissons et les animaux terrestres. Ils sont environ **4 000 espèces**, vivant en général dans des lieux humides, à la limite des deux mondes. Les amphibiens peuvent respirer par des branchies, des poumons, et parfois même... par leur peau, capable d'absorber l'oxygène et de rejeter le gaz carbonique, notamment pendant l'hivernage !

La phylloméduse : longue comme l'ongle

LE PLUS PETIT

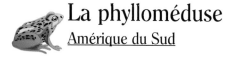

La phylloméduse
Amérique du Sud

C'est au Brésil que l'on trouve les grenouilles les plus petites. Le record absolu, enregistré pour une rainette de Cuba, serait 1,2 cm de long. Tous ces amphibiens ont un point commun : ils possèdent des yeux (relativement) gros, pour mieux repérer les insectes dont ils se nourrissent.

LE PLUS ÉTRANGE

L'axolotl
Mexique

Incroyable : ce gros têtard rose (de 20 cm de long) aux branchies rouge vif est déjà capable... de se reproduire ! Certains, même, ne se métamorphoseront jamais en adultes, en perdant leurs branchies pour entamer une vie terrestre. Un vrai casse-tête, qui explique pourquoi on a longtemps pris les deux formes possibles de l'axolotl pour des espèces différentes !

L'axolotl : deux animaux en un

LE PLUS GROS

La salamandre de Chine
Asie

C'est la géante absolue des amphibiens : elle mesure en moyenne 1,10 m de long et pèse 25 kg. Mais le record connu est de 1,80 m et 65 kg ! Dépourvue de branchies, la salamandre de Chine se plaît dans les cours d'eau rapides, riches en oxygène dissous. Capable de vivre plus de 50 ans, elle conserve pourtant toute sa vie des caractères larvaires, qui la font ressembler à... un énorme têtard.

La grenouille Goliath : boule de chair

LA PLUS GROSSE GRENOUILLE

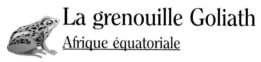

La grenouille Goliath
Afrique équatoriale

36 cm de long, 3,6 kg : ce sont les mensurations record enregistrées pour cette géante gracieuse comme un pouf ! Du côté des crapauds, le *Bufo marinus* d'Amérique du Sud fait figure de « taille fine », avec 2,6 kg seulement, pour la même longueur (d'ailleurs, en général, il ne mesure que 22 cm et pèse 600 g).

La salamandre de Chine : gros têtard

LES REPTILES

Reptile, cela veut dire
« qui rampe », car leurs
ancêtres furent les premiers
à pouvoir ramper et vivre
sur la terre ferme.
Aujourd'hui, leur grand règne
est révolu.
Mais dans les régions chaudes
du globe, il en reste encore
environ **7 000 espèces**
plutôt prospères,
qui prennent des forces
en exposant au soleil
leur peau couverte d'écailles.

Le python réticulé : lasso vivant

La tortue luth :
35 km/h !

LA PLUS GROSSE TORTUE

La tortue luth
<u>mers tropicales</u>

Effrayée, elle devient le plus rapide des
reptiles. Grâce à ses nageoires qui peuvent
dépasser 2 m d'envergure ! Car la tortue
luth est d'abord la géante absolue de l'ordre
des Chéloniens. Le record connu mesurait
2,90 m de long et pesait 950 kg !
Mais la moyenne, pour cette tortue marine,
est de 2 m de long et 450 kg. Lourd à
traîner sur le sable quand la femelle vient
y enfouir ses 600 œufs !

LE PLUS LONG REPTILE

Le python réticulé
Asie du Sud-Est

Il peut atteindre 10 m de long, 60 cm de circonférence et peser 150 kg ! Le python réticulé est le plus long des reptiles. Mais ce n'est pas le plus lourd des serpents. L'anaconda d'Amazonie, lui, qui peut atteindre 8,50 m, mesure 1,10 m de circonférence, pour un poids maximal de 230 kg. Ni l'un ni l'autre ne sont venimeux : ils entourent leur proie et resserrent leur étreinte pour empêcher le cœur de battre. La mort est brutale, par embolie cérébrale.

LE PLUS GROS LÉZARD

Le dragon de Komodo
Indonésie

Isolés sur l'île de Komodo, ces descendants des dinosaures n'ont pas changé de forme depuis 140 millions d'années ! Un gros mâle adulte pèse jusqu'à 150 kg, et mesure 3 m de long ! Ces « dragons » carnivores, qui possèdent des griffes de 5 cm, s'attaquent parfois en bande à de grandes proies comme le cerf.

Le crocodile indopacifique : mangeur d'hommes

LE PLUS GRAND REPTILE

Le crocodile indopacifique
Asie et Pacifique

Un mâle mesure en moyenne 5 m et pèse 500 kg. Mais il peut atteindre 10 m de long et 1 000 kg ! Surnommé « crocodile marin », ce géant des reptiles actuels se plaît aussi dans l'eau douce des estuaires et des fleuves. Il s'attaque à tout ce qu'il trouve : oiseaux, poissons, mammifères... Sans oublier que dans la majorité des cas, c'est lui, le terrible « mangeur d'hommes » !

Le dragon de Komodo : dinosaure vivant

Le condor des Andes : les griffes du ciel

LES OISEAUX

Certains reptiles et mammifères ont réussi à s'adapter au vol en allongeant leurs os reliés par des membranes. L'oiseau, lui, a inventé la plume, et c'est **une des plus belles réussites de l'évolution**. Malgré leur musculature légère, les 9 000 espèces d'oiseaux ont pu devenir les rois absolus des airs, cette nouvelle dimension où tout est mouvement.

LE PLUS GRAND RAPACE

Le condor des Andes
Amérique du Sud

Il vit en petites bandes, près des sommets des Andes. Le condor, dont les mâles peuvent peser de 9 à 11 kg, est le plus lourd des 330 espèces d'oiseaux de proie. La femelle ne pond que tous les deux ans, car le jeune condor reste avec ses parents pendant plus d'une année. Avant de devenir à son tour, si tout se passe bien, un champion du vol plané régnant sur un large territoire...

L'outarde de Kori : marche ou vole

LE PLUS LOURD OISEAU VOLANT

L'outarde de Kori
Afrique du Nord-Est

Sa famille est cousine de celle des grues : cet échassier aux longues pattes peut mesurer jusqu'à 1,40 m de haut. C'est aussi le plus lourd oiseau volant, capable d'arracher du sol jusqu'à 19 kg (son poids maximum). On aurait même pesé un individu de 21 kg, trop lourd pour voler. Heureusement, l'outarde de Kori est aussi l'un des oiseaux qui marchent le mieux, et le plus vite.

L'albatros hurleur : ami du vent

LE PLUS GRAND OISEAU

L'albatros hurleur
<u>mers du Sud</u>

D'un bout à l'autre des ailes, il mesure jusqu'à 3,50 m. Deux fois la taille d'un homme ! Ses ailes fines ne sont pas très puissantes, mais dès que le vent se lève, elles emportent l'albatros qui peut planer sur des centaines de kilomètres.

LE PLUS GROS OISEAU AU SOL

L'autruche
<u>Afrique</u>

Par-dessus les hautes herbes de la savane apparaissent de grands yeux noirs au bout d'un cou interminable... Depuis ses 2 m à 2,75 m de hauteur, l'autruche voit venir le danger de très loin. Qu'un prédateur s'approche, malgré ses 100 à 155 kg, elle détalera à près de 50 km/h ! Mais, le reste du temps, dans la petite troupe paisible, le mâle s'occupe de ses 3 à 5 femelles.

L'autruche : elle ne vole pas !

LES MAMMIFÈRES TERRESTRES

Ce sont aujourd'hui les maîtres absolus de la Terre. Aucun autre animal n'est plus grand, plus lourd, plus puissant... Mais, même si la plupart des 4 600 espèces de mammifères sont beaucoup plus modestes, leur « record » commun est d'avoir su **s'adapter à tous les milieux**, en maintenant toujours leur température interne.

LE PLUS LOURD

L'éléphant d'Afrique
Afrique tropicale

Il peut atteindre 4,50 m à l'épaule, peser plus de 7 tonnes ! Mais ce géant absolu des animaux terrestres se contente en moyenne de 3,50 m pour 5 tonnes (soit la taille record de son cousin l'éléphant d'Asie).
Pour entretenir une telle « machine », un éléphant adulte avale au moins 150 kg de végétaux chaque jour, et son repas peut durer 16 heures.
Scrountch, scrountch.

L'éléphant d'Afrique : lourd comme 4 autos

LE PLUS GRAND

La girafe
sud du Sahara

Le secret de son cou immense ?
Les branches d'arbres dont elle se nourrit,
qu'il faut aller chercher très haut. Une girafe
moyenne mesure environ 4,80 m jusqu'au
sommet de ses petites cornes (pour un
poids de 2 tonnes), mais le record connu
est un mâle mesuré à 6,05 m ! Dotée d'une
très bonne vue, elle est aussi très farouche.
La moindre alerte la fait s'enfuir sur ses
longues pattes, à près de 55 km/h.

La girafe : star timide

LE PLUS GRAND CARNIVORE

L'ours d'Alaska
île Kodiak

Cet ours brun, proche cousin du grizzly,
vit sur un archipel de trois îles du golfe
de l'Alaska, dont l'île Kodiak. Il mesure en
moyenne 2,40 m de la tête à la queue,
pèse 500 kg : c'est le géant des carnivores
terrestres. Son record connu est de 4,11 m
pour 750 kg, et il pourrait même être
encore plus gros... Friand de poisson,
ce géant s'installe dans l'eau des rapides,
pour attraper les saumons au passage !

L'ours d'Alaska : pêcheur agile

LE PLUS GRAND PRIMATE

Le gorille des montagnes
Afrique tropicale

Il en restait encore 15 000 en 1960, contre
moins de 600 aujourd'hui ! Comme
le gorille des plaines, le gorille des
montagnes mesure en moyenne 1,75 m
de haut (debout), et pèse plus de 150 kg.
Les deux populations peuvent
même atteindre 2 m et 200 kg.
Mais rien à voir
avec King Kong :
ce géant paisible
mâchonne toute
la journée
ses 20 kg
de végétaux.
Les hommes,
eux, défrichent
son territoire
sans pitié.

*Le gorille
des montagnes :
géant menacé*

LES MAMMIFÈRES MARINS

Ils sont retournés un jour vivre dans l'eau pour conquérir des places nouvelles. Et les mammifères sont vite devenus **les rois** ! Comme sur la terre, on trouve des « herbivores » qui se nourrissent de plancton, et des carnivores qui attaquent tout ce qui bouge. Et comme la gravité n'a plus d'importance, les corps se sont parfois développés jusqu'à des tailles prodigieuses.

L'éléphant de mer : énorme mâle

LE PLUS GRAND PHOQUE

L'éléphant de mer
îles australes

Un mâle moyen mesure 5 m de long, et pèse environ 3 tonnes (le record est de 6,50 m et 5 tonnes). La femelle, elle, se contente de 3 m de long pour 700 kg. C'est qu'il faut beaucoup de force au mâle pour affronter ses rivaux pendant l'été austral, quand l'éléphant de mer aborde sur les îles pour se reproduire ! Puis, dès le mois de mars, ils repartent dans leurs migrations en haute mer, gobant au passage les calmars et les pieuvres...

*La baleine bleue :
lourde comme 1 800 hommes*

LA PLUS GRANDE BALEINE

La baleine bleue
océans Atlantique, Pacifique, Indien

Appelée aussi « rorqual », cette baleine
à fanons (des sortes de dents pour filtrer
le plancton) est le plus lourd animal au
monde. Elle peut atteindre 33 m de long,
peser 130 tonnes. Sa langue pèse 3 tonnes
(un petit éléphant), son cœur 700 kg... Sur
terre, elle mourrait écrasée par son propre
poids. Plus triste, sa population est passée
de 300 000 en 1900 à moins de 10 000
aujourd'hui...

LE PLUS FÉROCE

L'orque épaulard
tous les océans

C'est le plus grand des delphinidés :
les vieux mâles atteignent 9 à 10 m de long,
la moyenne d'un adulte est de 8 m.
Mais l'orque épaulard est aussi le seul cétacé
vraiment « féroce ». Il chasse souvent
en bande, capable alors de s'attaquer
à des baleines et de les déchiqueter avec
ses dents. Ou bien encore, il brise la glace
de la banquise pour dévorer les phoques
tombés à l'eau. Dans l'estomac d'un orque
épaulard, on a un jour retrouvé les restes
de 14 phoques et de 14 dauphins !

*L'orque épaulard :
la mort en noir et blanc*

LE COIN DES MINUSCULES

Chez eux, les records se mesurent en millimètres, et les insectes sont leurs proies les plus glorieuses. Au royaume des petits, **la vie est plutôt discrète**. Mais attention ! Il ne faudrait pas les prendre pour des paresseux. Au contraire, ces animaux comptent parmi les plus rapides et les plus voraces du monde, comparativement à leur taille.

Le marmouset : mini-ouistiti

LE PLUS PETIT OISEAU

Le colibri de Cuba
Cuba

Appelé aussi « colibri d'Hélène », voici le plus petit oiseau au monde. Il mesure moins de 6 cm de longueur, dont la moitié pour le bec et la queue ! Son poids, lui, se situe autour de... 2 grammes !
Mais il possède un corps très perfectionné. Le colibri de Cuba est capable de voler en marche arrière, ou même en « sur-place », à la hauteur des fleurs dont il se régale du nectar.

Le colibri de Cuba : merveille miniature

LE PLUS PETIT SINGE

Le marmouset
Amérique du Sud

On l'appelle aussi « ouistiti mignon » :
le marmouset est le plus petit singe
au monde. Son corps et sa queue mesurent
moins de 15 cm chacun, pour un poids total
de 120 à 180 grammes (mille fois moins
qu'un gorille !). Il vit dans les forêts
tropicales d'Amérique du Sud, où il
s'accroche aux arbres avec ses doigts
terminés par des griffes, se nourrit de fruits
et d'insectes, et communique...
par ultra-sons !

LE PLUS PETIT REPTILE

Le gecko
monde entier

On le trouve parfois dans nos maisons :
ce petit lézard nocturne au corps pâle
(7 cm de long en moyenne) est capable
de grimper aux murs ! Le secret du gecko ?
Sous ses pattes, de fines écailles dotées
de poils microscopiques,
qui peuvent s'agripper
aux plus petites
aspérités du plâtre
ou du verre...
Le plus petit
gecko du
monde, lui, vit
aux Antilles :
on en a
mesuré de
1,8 cm de
long (sans
la queue).

*Le gecko
lézard-ventouse*

La musaraigne étrusque : terreur des insectes

LE PLUS PETIT MAMMIFÈRE

La musaraigne étrusque
Europe du Sud, Afrique, Asie

Elle mesure de 3,5 à 5,2 cm de long (sans la
queue), et pèse de 1,5 à 2,5 grammes.
Avec un corps si minuscule, la déperdition
d'énergie est immense. En 24 heures, la
musaraigne (ou pachyure) étrusque doit
avaler 2 fois son poids en invertébrés, et elle
mourrait au bout de 6 heures sans manger.
Active de jour comme de nuit, elle défend
farouchement son territoire. On en a même
vu s'attaquer à une « géante »... souris !

LES MILIEUX EXTRÊMES

La nature, dit-on, a horreur du vide. Et nombreux sont
les animaux à le prouver, en ayant su s'adapter aux habitats
les plus hostiles de la planète. Les déserts, la banquise,
les montagnes, les grands fonds océaniques possèdent chacun
leur faune spécifique, caractérisée souvent par un petit
nombre d'espèces, mais une foule d'individus. À condition
qu'il y ait de la nourriture disponible, à quoi bon se
limiter, puisque la concurrence est quasi inexistante ?

À CHAQUE MILIEU SON RONGEUR

*Toundra
(Lemming)*

*Forêt tempérée
(Mulot)*

*Désert
(Gerboise)*

FROID RECORD

La chauve-souris de Daubenton, qui vit en Europe, est le mammifère capable de supporter le plus grand refroidissement. L'hiver, en hibernation, sa température interne peut descendre à... 0 °C !

Montagne (Chinchilla)

Habitation humaine (Souris domestique)

ADAPTATION RECORD

Dans des entrepôts frigorifiques, on a découvert des souris qui y avaient été enfermées par hasard. Elles avaient déjà réussi à s'adapter, en produisant une fourrure deux fois plus longue que la moyenne, et se nourrissant de lambeaux de viande congelée !

L'araignée du soleil : tueuse aux crochets

LE PLUS RÉSISTANT

L'araignée du soleil
monde entier

En laboratoire, on a fait monter leur température interne à 50 °C pendant 24 heures, et elles ont survécu ! Les araignées du soleil, ou « solifuges », mesurent jusqu'à 7 cm de long, avec un corps recouvert de longs poils sensoriels. Mais elles ne sortent que la nuit pour chasser, sautant sur leurs victimes pour les mordre. Elles ne possèdent pas de venin, mais leurs crochets de 1,5 cm, par rapport à leur taille, sont les plus grands de tout le règne animal. Ils peuvent même transpercer la carapace d'un gros scorpion !

LES ANIMAUX DU DÉSERT

Pour survivre dans les zones arides, un animal doit surmonter trois grands obstacles. Il lui faut pouvoir économiser l'eau au maximum, maintenir une température corporelle convenable et trouver de quoi se nourrir. À ce régime-là, seuls ont pu s'adapter **les animaux les plus évolutifs**. La plupart ont choisi de vivre la nuit, profitant de la fraîcheur et de la précieuse rosée.

La gerboise : mini-kangourou

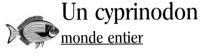

Un cyprinodon : poisson du désert

LE PLUS ÉPHÉMÈRE

Un cyprinodon
monde entier

Quand il pleut surgissent parfois des mares provisoires. C'est le royaume des cyprinodons, des petits poissons dont les œufs peuvent résister des années au dessèchement. Ces animaux naissent et grandissent à toute allure, capables de se reproduire dès l'âge de 8 ou 10 semaines, dans une eau pouvant atteindre 42 °C. Quand elle sera évaporée (au bout de 8 mois au maximum), tous mourront, mais ils auront produit les précieux œufs.

LE PLUS SOBRE

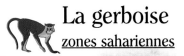

La gerboise
zones sahariennes

Certains affirment qu'elle ne boit... jamais ! Comme ses cousins éloignés, la gerbille d'Asie et le rat-kangourou d'Amérique, ce petit rongeur (8 cm sans la queue) se contentera de l'eau qu'elle trouve dans les graines. Ce qui est sûr, c'est qu'elle l'économise au maximum : elle passe la journée dans un trou de sable hermétiquement fermé, produit une urine très concentrée, et dort la queue rabattue sur son nez, pour retenir l'humidité qu'elle aspire de nouveau !

LE PLUS GRAND

Le dromadaire
Afrique, Arabie

Depuis plus de 2 000 ans, il est la plus grande richesse des hommes du désert. Grand et robuste (2 m au garrot), un dromadaire chargé peut marcher pendant 8 jours sans manger ni boire, brûlant les réserves de graisse stockées dans sa bosse. Et s'il pèse 700 kg en moyenne, il est capable d'en perdre un quart sans dommages au cours d'une traversée. Mais il se précipitera ensuite au premier point d'eau, pour avaler jusqu'à... 150 l en quelques minutes !

Le dromadaire : précieux allié

LES ANIMAUX DES PÔLES

Le pôle Sud (Antarctique) est un continent isolé, enseveli sous 2 300 m de glace en moyenne : aucun animal terrestre ne pourrait y survivre. Le pôle Nord, lui, est un océan (Arctique) recouvert d'une banquise de quelques mètres d'épaisseur, qui rejoint en hiver les toundras du Grand Nord. Ici, au contraire, prospèrent **quelques dizaines d'espèces terrestres**, toutes parfaitement adaptées à des températures extrêmes.

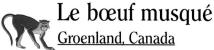

Le bœuf musqué
Groenland, Canada

Il mesure au maximum 2,45 m (plus 10 cm pour les cornes), et pèse 300 kg. Les Esquimaux l'appellent Ummimak, qui signifie « le barbu ». Le bœuf musqué vit en troupeaux de 20 individus environ, qui n'abandonnent jamais la toundra, même pendant le rude hiver boréal. Pendant les pires tempêtes, ils grimpent sur les hauts plateaux, comptant sur le vent pour disperser la neige, et laisser à découvert les lichens, les herbes et les arbres nains qui constituent leur unique nourriture.

Le bœuf musqué : roi de la toundra

L'ours blanc : géant à la dérive

LE PLUS GROS CARNIVORE

L'ours blanc
Arctique

Un mâle mesure en moyenne 2,40 m (debout) et pèse 400 kg. Ce géant nomade chasse toute l'année sur des milliers de kilomètres carrés de banquise. L'hiver, il se nourrit uniquement de phoques qu'il capture sur la glace, mais il apprécie en été les oiseaux, les poissons, les feuilles et les baies. Capable de résister à − 57 °C, l'ours blanc ne se réfugie dans un trou de neige que si le temps est vraiment trop mauvais, ou alors... pour mettre bas un ourson !

TEMPÉRATURES RECORDS

Au-dessous de 0 °C, la vie peut continuer. Ainsi, certaines larves de moustiques de l'Alaska (qui se développent à la surface de l'eau) peuvent être gelées et décongelées plusieurs fois sans dommages ! Et du côté des poissons, certaines espèces, pourvues d'une sorte d'« antigel », pourraient supporter des température internes allant jusqu'à... − 2,5 °C. Record absolu !

LE PLUS GROS OISEAU

Le manchot empereur
Antarctique

C'est le plus gros animal visible sur le continent Antarctique. Mais le manchot empereur (qui mesure jusqu'à 1,20 m de long pour un poids de 30 à 40 kg) n'est pas un animal terrestre. Il chasse ses proies dans l'eau, et ne grimpe sur la glace que pour se reproduire. Alors, plusieurs milliers d'individus forment un groupe compact, serrés les uns contre les autres pour se tenir chaud. Et, régulièrement, ceux du bord rejoignent le centre, pour que tout le monde puisse profiter de l'aubaine !

Le manchot empereur : l'union fait la chaleur

LES ANIMAUX DES SOMMETS

Les montagnes sont un peu comme des îles, sauf qu'au lieu d'être entourées d'eau, elles le sont de vallées. Les animaux qui y vivent, sont spécialement adaptés à l'altitude et aux basses pressions. Et bien sûr au froid, qui leur a fait **adopter des stratégies** de défenses ressemblant parfois beaucoup à celles de leurs lointains cousins des régions polaires.

L'iguane liolaemus : il noircit au soleil

La saltice : araignée sauteuse

LE REPTILE LE PLUS HAUT

L'iguane liolaemus
Amérique

Pour les animaux « à sang froid », la vie en altitude est particulièrement difficile. Un iguane, pourtant, réussit à vivre jusqu'à 2 500 m. *Liolaemus* vit dans les terriers et les buissons, et trouve encore assez de force pour marcher (très lentement), quand sa température interne tombe à 2,5 °C ! Mais, dès qu'il sort au soleil, son corps s'assombrit pour absorber un maximum de chaleur. Alors, sa température remonte jusqu'à 20 °C, et il peut se mettre à chasser des insectes.

Le chocard à bec jaune : virtuose de l'air

ÉCART RECORD

Incroyable mais vrai : un crapaud commun (*Bufo*) a été trouvé à 8 000 mètres d'altitude, dans l'Himalaya, mais aussi... à 340 m de profondeur sous terre, dans une mine de charbon !

L'ARTHROPODE LE PLUS HAUT

La saltice
<u>tous continents</u>

Elle a été observée sur les pentes de l'Everest jusqu'à 6 700 m d'altitude. La saltice ne se nourrit alors plus que des seuls insectes apportés par le vent. Mais, même plus bas, cette araignée ne prend pas la peine de tisser une toile qui serait vite déchirée par les bourrasques. À la manière d'un chat, elle préfère approcher lentement de ses proies et leur sauter brusquement sur le dos, grâce à ses pattes arrière très développées !

L'OISEAU LE PLUS HAUT

Le chocard à bec jaune
<u>Europe, Asie</u>

C'est un oiseau de la famille de la corneille, bien connu des alpinistes qu'il accompagne dans l'Everest jusqu'à 8 200 m d'altitude ! Très malin, il a même appris à s'approcher de leurs tentes, où il sait trouver de la nourriture... Mais le chocard à bec jaune est d'abord un excellent voltigeur, adorant se laisser tomber sur des centaines de mètres en chute libre, ne se redressant qu'au dernier moment.

LE MAMMIFÈRE LE PLUS HAUT

Le yak
<u>Tibet</u>

On rencontre ce géant dans le massif du Sichuan, en Chine, jusqu'à... 6 100 m d'altitude, où il résiste à − 40 °C ! Le yak, apparenté au bison, mesure 1,80 m au garrot, pèse 700 kg, et possède des cornes d'une envergure de 2 m. Pour se protéger du froid, son sous-poil court et dense est recouvert d'un second manteau de poils laineux et hirsutes. Les Tibétains ont su le domestiquer, et fabriquent avec son lait un beurre précieux bourré de vitamines.

Le yak : bison des sommets

LES ANIMAUX DES ABYSSES

Dans la mer, la majorité de la vie animale se concentre sur les zones supérieures éclairées par le soleil, jusqu'à environ 100 m de profondeur. D'autres animaux ont choisi de **vivre plus bas**, se nourrissant des débris végétaux et des cadavres qui tombent lentement vers le fond. Mais eux-mêmes ne sont pas à l'abri de certains prédateurs de la surface, qui n'hésitent pas à plonger très profond pour les dévorer !

LA PLUS PROFONDE PLONGÉE

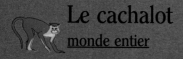

Le cachalot
monde entier

Munis d'un sonar, des scientifiques ont mesuré l'une de ses plongées à – 2 500 m. Mais le record pourrait être battu : dans l'estomac d'un cachalot, on a trouvé des petits requins de fond vivant à – 3 200 m. En vérité, la pression ne semble pas constituer un obstacle pour lui. En expirant d'abord l'air de ses poumons, pour éviter la formation de bulles d'air dans le sang, le cachalot peut rester une heure sous la surface, et plonge à une vitesse incroyable. Chose curieuse, son point de départ et son point de retour restent les mêmes, à une dizaine de mètres près !

LA VIE LA PLUS PROFONDE

Grâce aux bathyscaphes modernes, des scientifiques ont pu descendre au fond des grandes fosses marines, où l'on croyait la vie impossible. Surprise ! Plusieurs créatures y survivent, autour des rejets d'eau chaude produits par la compression des plaques terrestres. Parmi eux, un crustacé amphipode a été observé à − 10 500 m ! Plus haut, vers − 7 500 m, vivent des étoiles de mer et des palourdes géantes, et de grands vers en forme de tubes dont la longueur peut dépasser 1 m ! La plus profonde éponge, elle, a été observée à − 5 500 m.

LE POISSON LE PLUS PROFOND

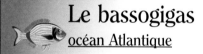

Le bassogigas
océan Atlantique

Les Brotulidés comprennent environ 60 espèces de poissons. Leur tête lourde, arrondie, se prolonge d'un corps allongé qui va en s'atténuant, tout entier entouré d'une longue nageoire. Le record connu à ce jour, nommé *Bassogigas profundissimus*, a été observé au fond de la fosse de Porto Rico à − 8 300 m. Il ne mesurait que 16 cm de long, et possédait des yeux très dégénérés, inutiles dans la nuit absolue des abysses.

Le bassogigas : record à battre !

Le cachalot : rapide et précis

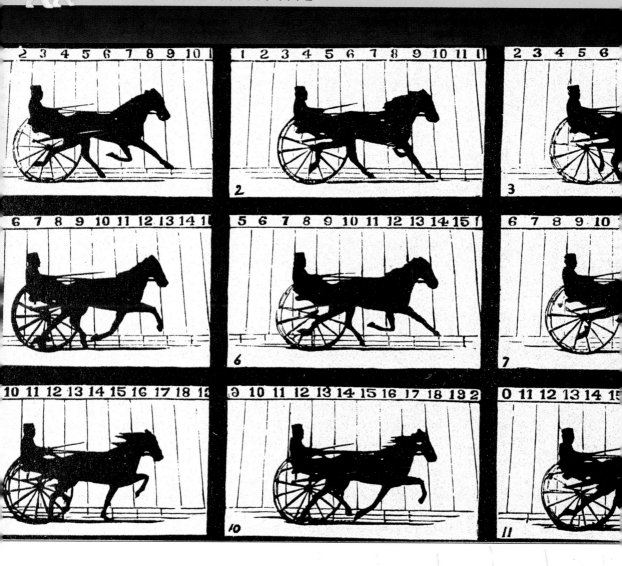

LA LOCOMOTION

Tous les animaux, sans exception, ont besoin d'utiliser le mouvement. Même l'anémone, accrochée toute sa vie à son rocher, doit déplacer une partie de son corps pour capturer sa nourriture. La locomotion, elle, suppose que le corps entier soit capable de se déplacer. Courir, nager, sauter, voler : **à chacun selon ses moyens**, en fonction des organes dont la nature l'a doté. Mais, du plus simple cil vibratile aux musculatures les plus complexes, le mouvement doit d'abord être bien coordonné !

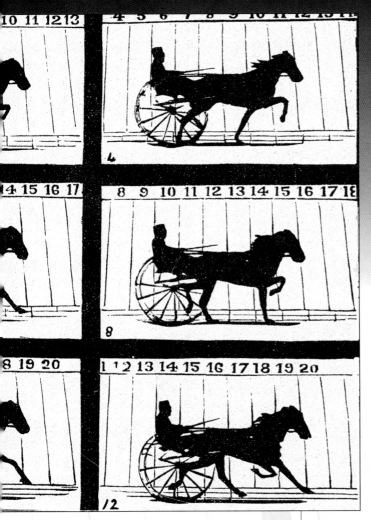

DURÉE RECORD

Certains requins ne s'arrêtent jamais de nager pendant toute leur vie. Le martinet noir serait capable de rester en l'air pendant plus de 2 ans en dormant et mangeant en vol, mais cela reste à prouver !

TECHNIQUE RECORD

Dès 1872 (plus de 20 ans avant l'invention du cinéma), le photographe anglais Eadward Muybridge entreprend d'étudier la locomotion animale. En alignant jusqu'à 40 appareils, il fait surgir ce qu'aucun œil humain n'avait pu saisir auparavant : les différentes étapes du mouvement.

SOMMAIRE

LA COURSE

C'est dans les plaines et les savanes, où la visibilité est très étendue, que se rencontrent les champions terrestres de la **vitesse**. Prédateurs et proies se livrent à des poursuites effrénées, propulsés par leurs pattes puissantes.
Tout le secret est dans le **rebond** : quand le talon atterrit, le tendon comprimé emmagasine de l'énergie qui fournit ensuite une poussée inverse contre le sol, permettant de démultiplier l'effort.

*Le guépard :
roi du sprint*

LE MAMMIFÈRE LE PLUS RAPIDE

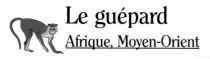 Le guépard
Afrique, Moyen-Orient

Chronométré à 100 km/h, il détient le record absolu jamais enregistré pour un animal terrestre. Mais le guépard (qui mesure en moyenne 1,20 m) ne peut soutenir cette vitesse que sur 200 ou 300 m. Et bien des proies lui échappent avant qu'il n'ait réussi à leur planter ses crocs dans la gorge. Car ce superprédateur ne peut pas compter sur ses griffes : contrairement à celles des autres félins, elles ne sont pas rétractiles, et s'usent comme celles d'un chien !

Le pronghorn : vite... et loin

Le cafard : tout est relatif

LE MAMMIFÈRE LE PLUS ENDURANT

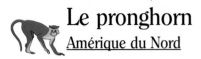

Le pronghorn
Amérique du Nord

Appelé aussi « Antilope américaine à cornes », voici le plus rapide des animaux terrestres sur une moyenne distance.
Sa vitesse maximale peut atteindre 80 km/h (sur 800 m), et on l'a vu parcourir 6 km à la moyenne de 56 km/h ! Quant au loup, champion de l'endurance sur longue distance, il peut parcourir plus de 20 km à la moyenne de 35 km/h.

L'INSECTE LE PLUS RAPIDE

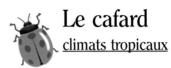

Le cafard
climats tropicaux

Dans les pays tropicaux, certaines espèces de cafards du genre *Dictyoptera* peuvent atteindre 3 cm de long. Munis de 6 pattes, ce sont les insectes terrestres les plus rapides : leur vitesse maximale a été chronométrée à 5,5 km/h. Soit près de 50 fois leur longueur par seconde !
À ce rythme-là, un guépard atteindrait les... 216 km/h.

LE REPTILE LE PLUS RAPIDE

Le basilic
Amérique centrale

Ce grand iguanidé (80 cm de long), comme de nombreux autres lézards, court sur ses deux pattes postérieures en inclinant le corps en avant. Il pourrait ainsi atteindre 15 km/h (le record serait de 19 km/h pour un autre lézard, le cnémidophore à 6 raies). Mais surtout, le basilic est capable en courant de traverser une petite rivière sans s'y enfoncer ! Un vrai « miracle », facilité par sa queue épaisse fonctionnant à cette vitesse comme un ski nautique...

Le basilic : il marche sur l'eau !

LA NAGE

Certains utilisent des nageoires, qui sont dans l'eau l'équivalent des ailes dans l'air ; d'autres font onduler leur corps ; d'autres encore utilisent la propulsion par jet d'eau... En réalité, il existe une foule d'animaux capables de **se mouvoir avec aisance** dans l'élément liquide où sont, après tout, nés tous les grands groupes animaux !

LE MAMMIFÈRE LE PLUS RAPIDE

Le marsouin de Dall
mers froides et tempérées

Ce petit cétacé (1,80 m pour 50 kg) au museau bombé se nourrit de poissons, de céphalopodes et de crustacés. Et bien peu sont ceux qui lui échappent : on estime à 30 nœuds, soit 55 km/h, sa vitesse de pointe. Exactement la même performance que l'orque, un autre cétacé 4 fois plus gros qui, lui,... avalerait volontiers un marsouin !

Le marsouin de Dall : record partagé

LE PINNIPÈDE LE PLUS RAPIDE

Le lion de mer
océan Pacifique

Appelé aussi « otarie de Californie », c'est un animal lourd et massif. Le mâle peut atteindre 200 kg, et la femelle 130. Ils n'ont pas du tout peur de l'homme, et ce sont eux que l'on voit dans les cirques, où on les dresse à faire des numéros d'équilibre, et même à jongler ! Mais leur vrai record, c'est d'abord la vitesse : capables de nager à 40 km/h, ce sont les plus rapides des pinnipèdes : otaries, morses et phoques réunis.

Le voilier cosmopolite : gare à l'épée !

LE POISSON LE PLUS RAPIDE

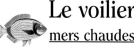

Le voilier cosmopolite
mers chaudes et tempérées

Appelé aussi « espadon à voile » il peut atteindre 3,50 m de long jusqu'au bout de son long rostre effilé comme une épée. Mais le voilier serait surtout le poisson le plus rapide au monde, avec une vitesse de pointe mesurée à 109 km/h (sur 100 m). Il nage en surface, sa grande nageoire dorsale déployée comme une voile, et constitue une proie appréciée des pêcheurs « sportifs ».

Le lion de mer : il jongle aussi !

L'OISEAU LE PLUS RAPIDE

Le petit pingouin
<u>Arctique</u>

Un oiseau qui nage ? Mais oui, c'est possible ! Comme de nombreux autres oiseaux marins, le petit pingouin plonge dans l'eau pour attraper des poissons et des crustacés qu'il poursuit à la vitesse de 10 m par seconde, soit 36 km/h. Ses ailes lui servent alors de nageoires, et il attrape ses proies avec son bec puissant, qui lui a valu son surnom de « bec-de-rasoir » !

*Le petit pingouin :
il vole sous l'eau*

LE SAUT

Bonds, sauts, cabrioles... Pour de nombreux animaux, il ne s'agit là que d'un jeu ou d'un besoin occasionnel. Mais d'autres ont absolument besoin de se déplacer de cette manière pour survivre. Alors, **leur corps s'est spécialement adapté** pour ces moments magiques, où la pesanteur semble s'effacer pendant quelques instants.

La puce
monde entier

Elle mesure à peine 1,3 mm de long, avec un corps extra-plat et des pattes munies de crochets pour s'agripper à la peau, aux plumes ou à la fourrure. Mais la puce peut sauter à 20 cm de hauteur (et 33 cm en longueur), soit 150 fois sa taille ! Son accélération est foudroyante : elle peut atteindre 1 m par seconde en moins de 2 millièmes de seconde, 20 fois plus vite que la fusée Ariane !

La puce : plus vite qu'une fusée

La sauterelle
monde entier

Elle peut franchir 3 m en un seul bond, soit 250 fois sa hauteur. Son secret ? Comme la puce, la sauterelle maintient ses pattes sous une très forte tension. Cette énergie est « stockée » grâce à une protéine, la résiline, contenue dans son articulation. Quand la sauterelle relâche la pression, la résiline restitue aussitôt 97 % de l'énergie, et l'insecte est projeté comme par une catapulte. Et hop !

La sauterelle : catapulte vivante

*Le kangourou rouge :
une fuite en zigzag*

LE PLUS LONG (ABSOLU)

Le kangourou rouge
<u>Australie</u>

Dans le « bush » australien, il occupe la même niche écologique que les antilopes dans d'autres plaines du monde. C'est

le géant des kangourous, avec une moyenne de 2,60 m de long pour 80 kg. Quand il broute, il avance par petits bonds maladroits, à cause de ses minuscules pattes antérieures. Mais, poursuivi par un chien ou un dingo, il devient capable de bonds fantastiques : jusqu'à 4 m de hauteur et... 13,50 m de long !

Le dauphin : d'un coup de nageoire

LE PLUS HAUT (ABSOLU)

Le grand dauphin
<u>monde entier</u>

7 m au-dessus de l'eau : c'est le saut le plus haut jamais enregistré, même si la moyenne tourne autour de 3 ou 4 m. Le dauphin, capable de nager à plus de 50 km/h, prend d'abord de la vitesse sous l'eau avant de se propulser en l'air d'un puissant coup de nageoire. Un spectacle splendide, avant qu'il ne retombe dans une gerbe d'écume...

LE VOL

On pense d'abord bien sûr aux oiseaux, dont les ailes parfaitement profilées ont inspiré celles de nos avions. Mais, s'ils sont devenus les maîtres du milieu aérien, ils ne sont pas les seuls à tirer profit du vol. Mammifères, insectes, et même poissons utilisent cette technique pour échapper à leurs prédateurs, capturer des proies, ou simplement... **survivre** !

La libellule : reine de l'étang

L'INSECTE LE PLUS RAPIDE

La libellule
monde entier

Au début du siècle, des scientifiques avaient imaginé que de petits insectes pouvaient voler à... 1 300 km/h ! La réalité est bien plus modeste : le record de vitesse serait détenu par certaines libellules pouvant atteindre 60 à 80 km/h, uniquement sur de courtes distances, quand elles pourchassent un autre insecte ailé.

Le faucon pèlerin : bolide du ciel

L'OISEAU LE PLUS RAPIDE

Le faucon pèlerin
Europe, Asie, Afrique, Amérique

La forme de son œil en hiéroglyphe de l'Égypte ancienne signifiait le verbe « voir ». Car le faucon pèlerin, doué d'une vue excellente, peut repérer ses proies à des kilomètres de distance. Quand c'est un autre oiseau, il le rattrape en accélérant jusqu'à 289 km/h. Mais c'est en piqué qu'on a enregistré une vitesse de... 300 km/h ! Record pulvérisé : c'est l'animal le plus rapide au monde.

LE POISSON LE PLUS RAPIDE

L'exocet
mers chaudes

Les exocets sont les plus rapides des poissons volants. Pour échapper à leurs prédateurs, ils se projettent brusquement hors de l'eau (si possible au sommet d'une vague), puis déploient leurs immenses nageoires pectorales. Certains utilisent aussi leurs nageoires ventrales, se transformant en véritables « biplans » à 4 ailes. Ils peuvent planer sur une distance de 90 m, entre 2 et 6 m de hauteur, à la vitesse maximale de 50 km/h.

L' exocet : drôle de planeur

LE MAMMIFÈRE LE PLUS RAPIDE

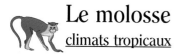

Le molosse
climats tropicaux

Le molosse : des ailes de peau

Les ailes des chauves-souris, ce sont en fait des doigts démesurés reliés par des membranes. Il en existe 900 espèces, dont les molosses, une famille tropicale, seraient les plus rapides. Battant des ailes entre 16 et 20 fois par seconde, ils peuvent atteindre 55 km/h, et sont capables de parcourir ainsi plusieurs centaines de kilomètres.

LA LENTEUR

Chez eux, pas de chiffres fracassants ni de records olympiques. La vitesse, ils la laissent aux autres. Ils vont même tellement lentement qu'il est parfois difficile d'établir une moyenne précise. Ce qui est certain, c'est que ces **animaux très connus** nous fascinent toujours. Peut-être même qu'au fond, certains d'entre nous les envient...

La tortue : lente, mais prudente

L'aï : roi des dormeurs

LE REPTILE LE PLUS LENT

La tortue
climats chauds et tempérés

La plus rapide des tortues terrestres serait une espèce géante des Seychelles, présente aussi à l'île Maurice. Elle est capable de parcourir 6 m par minute (360 m à l'heure). Presque un « bolide », comparée à la tortue d'Hermann, la dernière tortue sauvage d'Europe, qui se contente de 250 m à l'heure. Mais à quoi bon se presser, puisqu'il suffit de s'abriter dans la carapace pour échapper aux prédateurs ?

LE MAMMIFÈRE LE PLUS LENT

L'aï
Amérique centrale et du Sud

Le fameux « paresseux » se nourrit uniquement de feuilles, 2 heures par jour au maximum. Le reste du temps... il dort, suspendu aux branches par ses longues pattes terminées par 3 doigts crochus. Au sol, l'aï avance à la vitesse de 5 m/mn, soit 300 m à l'heure, mais il peut doubler ce « record » dans les arbres. Plus étonnant encore : son pelage abrite une algue parasite, qui donne à son pelage une couleur verdâtre et l'aide à se confondre avec la végétation.

LE GASTÉROPODE LE PLUS LENT

L'escargot de jardin
monde entier

À tout seigneur, tout honneur : le plus rapide a été chronométré dans un sprint terrible à... 8,50 m à l'heure ! (il y a même des amateurs qui organisent des courses). À ce rythme-là, il lui faudrait presque 5 jours pour parcourir 1 km. Pour protéger la peau très fragile de son pied, l'escargot se fabrique une « route » en sécrétant un mucus collant qui le protège des aspérités du sol.

L'escargot de jardin : ramper, c'est vivre !

La bécasse : vol limite

L'OISEAU LE PLUS LENT

La bécasse
monde entier

Les bécasses sont des petits oiseaux au long bec flexible, qui leur sert à dénicher leur nourriture (vers, larves, petits insectes) dans la vase ou l'humus. Elles sont aussi les oiseaux dont le vol battu est le plus lent au monde, avec une vitesse moyenne de 21 km/h. Certaines, comme la petite bécasse eurasienne, auraient même été chronométrées à 8 km/h !

LES SENS

Comme nous, les animaux utilisent leurs multiples sens pour les renseigner sur le monde qui les entoure. Pour établir des « records », on fait comme si chacun d'entre eux était indépendant des autres. En réalité, l'animal fait la plupart du temps appel à **plusieurs sens à la fois**. Pour marcher, par exemple, il utilise la vue, mais aussi l'équilibre et le toucher...

Voici ce que tu vois ...

... et voilà ce que voit l'insecte invité par la fleur.

QUE VOIENT LES ANIMAUX ?

Certains animaux sont capables de « voir » le monde en faisant appel à des sens qui nous sont inconnus. L'insecte, par exemple, verra l'emplacement du nectar que lui montre la digitale, à l'aide de taches colorées (en sombre sur la photo).

UNE BELLE ILLUSION

Un serpent qui danse au rythme de la flûte ?
Cela n'est pas possible, car il est
complètement sourd ! En réalité, l'animal
dressé, un cobra, suit les mouvements
avec ses yeux, et perçoit avec son ventre
les vibrations du pied battant la mesure sur
le sol. C'est la peur qui le pousse à adopter
cette position et il finira par mourir car un
cobra en état de stress ne se nourrit plus.

LA VUE

Certains protozoaires (les plus simples des animaux) peuvent à peine faire la différence entre la lumière et l'obscurité. À l'autre bout de l'échelle, insectes, crustacés et vertébrés savent fabriquer des images précises et colorées...
Nous vivons tous dans le même monde, mais il existe **cent façons de le voir** !

Le taon : une vue en mosaïque

LA VUE LA PLUS PERÇANTE

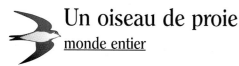 Un oiseau de proie
monde entier

Les grands oiseaux de proie (ici, un aigle royal) possèdent la meilleure acuité visuelle connue : plus du double de la nôtre, pour des yeux qui peuvent atteindre le même diamètre. Dans des conditions de visibilité idéales, un aigle peut repérer un lièvre à plus de 3 km de distance, et on a vu des faucons foncer droit sur un pigeon éloigné de... 8,5 km !

Un oiseau de proie : droit au but

LA VUE LA PLUS PANORAMIQUE

 Le taon
monde entier

Difficile de l'attraper : le taon voit même ce qui se passe derrière sa tête ! Son secret ?

Le tarsier
Asie

Il ne mesure que 15 cm, mais quel regard ! Par rapport à sa taille, le tarsier possède les plus grands yeux des mammifères terrestres. Chacun d'eux est aussi gros que... son cerveau ! Le cheval, lui, possède les plus gros yeux de tous les mammifères terrestres : leur diamètre peut

Le tarsier : billes de loto

atteindre 5,5 cm (contre 2,4 cm chez l'homme). Quant au record absolu du monde animal, il appartient au calmar géant, dont l'œil pourrait atteindre 38 cm de diamètre : la taille d'un enjoliveur de voiture !

Comme la plupart des insectes, il possède plusieurs centaines de minuscules yeux appelés « ommatidies », réunis en deux gros yeux composés. Son cerveau réunit ensuite toutes les images pour en former une seule, complète. Chez les mammifères, c'est le chat qui possède le champ visuel le plus large, couvrant un angle de 187° (contre 125° pour l'homme).

L'anableps
Amérique du Sud

Ce poisson de l'Amazone peut voir dans l'air et dans l'eau en même temps ! Ses yeux sont divisés en deux sections égales, séparées par une ligne horizontale. Comme ils sont placés au-dessus de sa tête, il suffit à l'anableps de nager près de la surface pour surveiller les insectes aériens avec le haut de ses yeux, tandis que la partie immergée guette ses ennemis aquatiques...

L'anableps : deux yeux en un

L'ODORAT

L'odorat et le goût sont deux sens étroitement liés. Ils servent d'abord aux animaux à **trouver** de la nourriture, puis à la **sélectionner** en évitant les poisons.

Le paon de nuit : parfum d'amour

LE PLUS DÉVELOPPÉ

Le paon de nuit
Europe

Les mâles de ces papillons (il en existe des centaines d'espèces) portent de longues antennes ramifiées comme des plumes. Chacune abrite plus de 100 000 cellules sensorielles spécialement adaptées à détecter les molécules odorantes de la femelle. Résultat, le paon de nuit est capable de la repérer à 10 km ! En théorie, avec un millionième de gramme de parfum, une seule femelle pourrait attirer... des milliards de mâles.

Mais, chez de nombreuses espèces, les odeurs sont aussi à la base d'un véritable « langage » chimique dispersé par le vent.

Un reptile :
un organe en plus

Le labrador :
flair douanier

LE PLUS COMPLET

Un reptile
<u>climats secs et tempérés</u>

Pourquoi ce serpent sort-il et rentre-t-il sa langue sans arrêt ? Pour prélever des molécules dans l'air, et les amener à son « organe de Jacobson » ! Cet organe se compose de 2 petites cavités au-dessus du palais, bardées de récepteurs sensoriels pour analyser toutes sortes d'informations chimiques. On le trouve aussi chez la plupart des amphibiens et chez certains mammifères, comme le chat.

LE PLUS ÉTENDU

Le labrador
<u>domestique</u>

L'homme distingue environ 10 000 odeurs. Le chien, lui, a été reconnu capable d'en mémoriser jusqu'à 100 000 ! Le champion absolu serait le labrador, qui possède 230 millions de cellules olfactives (contre 200 millions pour le berger allemand). Ce talent lui vaut d'être souvent présent aux postes de douanes, spécialement dressé à renifler drogues et explosifs...

L'OUÏE

Entendre, c'est être **sensible aux ondes sonores** propagées dans l'air ou dans l'eau à différentes fréquences. Pour cela, de simples poils ou membranes suffisent aux invertébrés. Au sommet de l'échelle, certains mammifères à l'ouïe très fine entendent encore des sons, là où nous ne percevons plus que du silence.

Le rat-kangourou : alerte au serpent !

LA PLUS AMPLIFIÉE

Le rat-kangourou
Amérique du Nord

L'oreille humaine est capable d'amplifier 18 fois le son. Les siennes, jusqu'à 100 fois ! La raison de ce « super-pouvoir » ? Le rat-kangourou vit dans les contrées arides de l'ouest des États-Unis, où rôde le serpent à sonnette. Ainsi, le petit rongeur entend venir l'ennemi de très loin, au simple bruissement de ses écailles.

LA PLUS BASSE

L'éléphant
Afrique et Asie

Comme certains cétacés, les éléphants (ici, un éléphant d'Asie) utilisent aussi pour communiquer la gamme des infra-sons, en dessous des 16 hertz que nous sommes capables d'entendre. Ces sourds grondements peuvent porter très loin, jusqu'à 80 ou 100 km dans les plaines !

L'éléphant : infra-sons

LA PLUS SIMPLE

Le moustique
monde entier

En guise d'« oreilles », les invertébrés utilisent des systèmes primitifs. Le moustique, lui, capte simplement les vibrations de l'air avec les poils de ses antennes plumeuses. Ainsi, le bruit de la femelle qui bourdonne à 500 hertz autour de notre oreille... est un cri d'amour pour son mâle !

Le moustique : antennes à sons

LA PLUS HAUTE

La chauve-souris
monde entier

Les chauves-souris peuvent percevoir des fréquences jusqu'à 160 000 hertz (contre 20 000 pour l'homme). Elles émettent elles-mêmes ces ultra-sons, 30 à 60 fois par minute, et captent avec leurs oreilles très développées les échos renvoyés par les obstacles, même les plus fins. Impossible donc qu'elles se prennent dans nos cheveux, malgré la légende !

La chauve-souris : radar volant

Le crotale diamant : il voit la chaleur

DES SENS EN PLUS

La nature nous a dotés de cinq sens, ce qui n'est déjà pas si mal. Mais, pour certains animaux, **il en existe d'autres**, que nous avons parfois du mal à imaginer... Voici, pour chacun d'eux, pas forcément le « record », mais un des spécimens les plus représentatifs.

LE PLUS CHAUD

Le crotale diamant
régions chaudes et tempérées

Comme d'autres serpents (et certains poissons), le crotale diamant possède de petites fentes entre l'œil et le museau. Ce sont des fossettes thermiques, qui lui permettent de « voir » les rayons infrarouges. Pratique pour repérer un petit mammifère au sang chaud, dont le corps dégage des vibrations dans la nuit noire.

LE PLUS TACTILE

Le spalax
Proche-Orient

Appelé aussi rat-taupe, ce rongeur souterrain préfère vivre seul. Alors, pour éviter que ses galeries ne croisent celles des autres, il martèle avec la tête le toit de son terrier, et « écoute » les réponses des voisins... au moyen de ses moustaches ultra-sensibles aux vibrations du sol, appelées aussi « vibrisses ».

Le spalax : il écoute vibrer le sol

LE PLUS ÉLECTRIQUE

Le poisson-éléphant
Afrique

Dans le fleuve Congo où il vit, l'eau est boueuse et la visibilité nulle. Alors, le poisson-éléphant se repère... à l'électricité. Il crée un champ électrique autour de lui, et « lit » ensuite les distorsions provoquées par les rochers ou la rive. De très nombreux autres poissons utilisent ce « sixième sens » encore assez mal connu.

Le poisson-éléphant :
il ressent l'électricité

LA COMMUNICATION

Dans les dessins animés, les animaux parlent.
Dans la réalité, chaque tache de couleur, chaque
position, chaque son possède un sens particulier.
La patience et le talent des naturalistes ont déjà
permis d'en décoder un certain nombre. Quant
aux « records » présentés ici, une chose leur es
d'abord commune : l'**incroyable diversité** de
moyens utilisés pour se faire voir et entendre !

KESKIDI LE CHIMPANZÉ ?

Petite moue

Il est en quête
de nourriture

Renfrogné

Il est en colère,
se prépare à l'attaque

Bouche ouverte

Il a peur,
est très excité

Grimace bouche fermée

Il exprime
sa soumission

Grimace bouche ouverte

Il est soumis,
et il a peur

LA FACE

Pour la plupart
des animaux, la
seule expression
possible est
l'ouverture béante
des mâchoires.
Seuls les plus
évolués des mammifères possèdent
une face expressive, capable
de transmettre des sentiments
par les mimiques et les regards...

POISSONS-CLOWNS

Dans un environnement aussi riche qu'un massif corallien, beaucoup de poissons peuvent cohabiter. À condition de pouvoir se reconnaître instantanément ! Leur « communication » principale, ce sont donc les couleurs vives et les motifs bigarrés.

SOMMAIRE

LA COULEUR

La plupart des animaux possèdent une robe plutôt terne, et s'arrangent pour survivre en évitant les ennuis. D'autres, au contraire, arborent des **couleurs éblouissantes**. Mais il vaut mieux alors posséder une « botte secrète » pour se garer des prédateurs...

Le poisson-néon : petit éclair

Le mandrill : roi de la forêt

LE POISSON AUX COULEURS LES PLUS VIVES

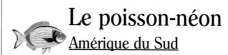

Le poisson-néon
Amérique du Sud

Ce petit poisson d'eau douce, découvert en 1936 en Amazonie, peuple aujourd'hui beaucoup d'aquariums. Ses bandes bleues et rouges brillent si fort dans l'eau qu'on les croirait phosphorescentes ! Un bon moyen de ne pas perdre de vue ses petits camarades, dans une eau brune comme du thé...

LE MAMMIFÈRE AUX COULEURS LES PLUS VIVES

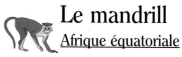

Le mandrill
Afrique équatoriale

Tête énorme, nez rouge, sillons faciaux bleu vif... On dirait les peintures d'un guerrier primitif ! En plus, il arbore des parties anales et génitales d'un rouge éclatant, qui se repèrent de loin. Mais le mandrill n'a pas vraiment à se cacher : ses mâchoires sont aussi puissantes que celles d'une panthère, qui est d'ailleurs son seul ennemi.

L'AMPHIBIEN AUX COULEURS LES PLUS VIVES

La grenouille rouge
régions tropicales

Cette petite grenouille ne mesure que 3 à 5 cm de longueur, mais son rouge fluorescent se remarque de très loin ! Elle ne redoute pourtant pas trop les prédateurs : ceux-ci sont habitués à ce que, dans la nature, les couleurs vives signalent aussi le poison !

L'OISEAU AUX COULEURS LES PLUS VIVES

Le paradisier
Océanie

Dans la forêt, le mâle commence par élaguer patiemment avec son bec les branches des arbres au-dessus de lui. Puis il vient se placer dans le rayon de soleil obtenu, illuminé comme par un projecteur.

La grenouille rouge : brillante comme l'émail

Là, enfin, le paradisier (il en existe plusieurs espèces) ébouriffe et déploie ses plumes chatoyantes en un fantastique bouquet de couleurs. Le message, bien sûr, est destiné à sa femelle, mais pour nous aussi c'est une vision... de paradis !

Le paradisier : plumes d'ange

LA LUMINESCENCE

C'est un phénomène très répandu dans le monde animal, même si elle est souvent faible. Mais, même chez les « records » , la luminescence ne dégage jamais de chaleur. C'est le produit d'une **réaction chimique**, dont de nombreuses créatures ont appris à se servir pour chasser... ou pour se rencontrer.

LA LUMIÈRE LA PLUS FORTE

La luciole d'Asie
Asie du Sud-Est

À des kilomètres de distance, on croit rêver : dans le lointain, sur l'autre bord du lac, les arbres se sont mis à clignoter. Tous en même temps, ils surgissent de l'obscurité et y retournent... L'explication de ce prodige ? Sur chaque petite feuille, une luciole parfaitement synchronisée avec ses milliers de voisines. Seuls les mâles brillent ainsi : ensemble, ils constituent une « enseigne » naturelle, pour attirer... des femelles vierges !

La luciole d'Asie : la forêt qui clignote

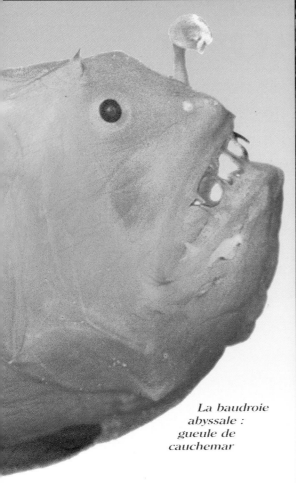

La baudroie abyssale : gueule de cauchemar

Le poisson-torche : des phares sous-marins

LE PIÈGE LE PLUS BRILLANT

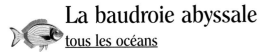

La baudroie abyssale
tous les océans

De nombreuses espèces de baudroies vivent jusqu'à 3 000 m de profondeur, dans la nuit absolue. Certaines possèdent sur la tête un long tentacule appelé « illicium », terminé par une sphère lumineuse. Ce leurre attire d'autres créatures... happées aussitôt dans l'énorme gueule du monstre !

LE POISSON LE PLUS BRILLANT

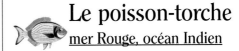

Le poisson-torche
mer Rouge, océan Indien

C'est un petit poisson de 9 cm de long, mais sa lumière se voit à 30 m de distance !
Sa « torche », une large pastille ovale située au-dessous de l'œil, abrite en réalité des milliards de minuscules bactéries qui vivent en symbiose avec le poisson. Elles ont besoin de son corps comme support, et il a besoin de leur luminescence pour attirer ses proies.

IL BRILLE DANS LA NUIT

Deux lumières verdâtres juste derrière la tête et une large bande orangée autour de l'abdomen. Pas de doute, c'est bien un cucujo ! Ces trois organes lumineux font de lui le champion terrestre de la luminescence. Elle se voit de si loin qu'on raconte qu'autrefois, les Anglais croyant voir dans la nuit une armée d'Espagnols munis de torches, renoncèrent à débarquer à Cuba !

La cigale : elle craquète !

LE BRUIT

De nombreux animaux ne possèdent pas de « voix ». Pour parvenir à se faire entendre, ils ont **imaginé** d'autres manières de produire des sons. Et il y en a aussi qui savent parfaitement émettre des cris, mais qui ont **inventé** un système pour faire encore plus de bruit. Alors... Attention au vacarme !

L'INSECTE LE PLUS BRUYANT

La cigale
climats secs et tempérés

La femelle, personne ne l'entendra jamais faire un bruit. Le mâle, en revanche, est le plus bruyant des insectes au monde. Son secret ? Des membranes abdominales capables de vibrer à 7 400 pulsations par minute, avec lesquelles la cigale émet un « craquètement » qui peut s'entendre à 400 m. Qui ne connaît pas ses stridulations monotones : Crr-crr, crr-crr, crr-crr... ?

L'OISEAU LE PLUS BRUYANT

Le pic épeiche
Europe

Sans être aussi bons chanteurs que les passereaux, les pics savent pourtant très bien crier. Mais, au printemps, pour appeler sa femelle, le pic épeiche mâle emploie une autre technique. Il tambourine de toutes ses forces sur une branche creuse ou tout autre objet qui résonne, et cela s'entend de très loin ! En ville, on en a même vu tambouriner sur les toits de tôle et les gouttières...

Le pic épeiche : il tambourine !

LE REPTILE LE PLUS BRUYANT

Le crocodile du Nil
Afrique

L'alligator américain émet un rugissement puissant qui s'entend à 250 m : c'est le plus sonore de tous les reptiles. Le crocodile du Nil, lui, a une curieuse façon de se faire entendre. Il relève haut la tête, puis frappe l'eau brutalement avec le plat de la mâchoire. Résultat : un bruit sec et puissant, suivi d'un éclaboussement retentissant. De quoi impressionner les femelles !

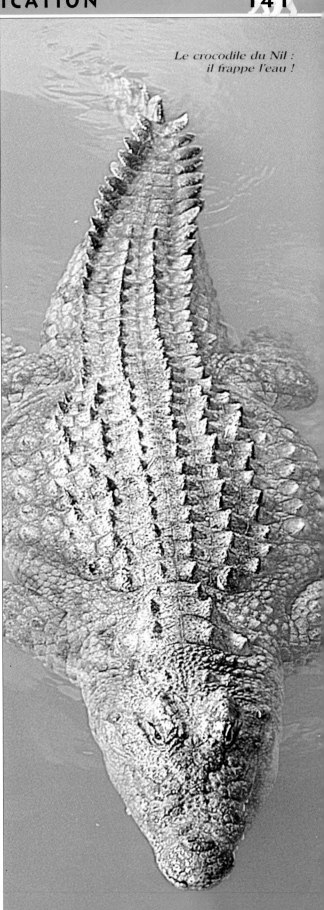

Le crocodile du Nil : il frappe l'eau !

LA VOIX

Chez les animaux, la voix véhicule d'abord des **messages de base** : appeler une femelle, impressionner un adversaire, marquer son territoire. Mais l'écoute attentive de certains avec les technologies modernes a aussi révélé des « langages » animaux surprenants.

Le crapaud-bœuf : gros sac vocal

LE MAMMIFÈRE LE PLUS SONORE

Le singe hurleur
Amérique centrale et du Sud

C'est le plus grand des singes du Nouveau Monde : de la taille d'un chien, il peut peser jusqu'à 9 kg. Mais le singe hurleur est aussi le mammifère terrestre le plus bruyant au monde. Pour défendre son territoire, il émet de longues vocalises graves et rauques, qu'on peut entendre jusqu'à 12 km de distance !

Le singe hurleur : un cri terrible

L'oiseau-lyre : voleur de sons

LE MEILLEUR IMITATEUR

L'oiseau-lyre
Australie

C'est le plus grand des passereaux, qui sont aussi les meilleurs chanteurs au monde.

Beaucoup d'entre eux savent imiter la voix d'autres espèces. L'oiseau-lyre, lui, emprunte jusqu'à 80 % de ses cris aux autres, y compris au chien sauvage (dingo) d'Australie ! Près des hommes, il apprend aussi à imiter des sons d'instruments de musique, ou même... des coups de hache !

L'AMPHIBIEN LE PLUS SONORE

Le crapaud-bœuf
Amérique du Nord

Dès la tombée de la nuit, on peut entendre ses coassements à... 3 ou 4 km de distance ! Comme la plupart des anoures (grenouilles et crapauds), le crapaud-bœuf utilise un gros « sac vocal » qui gonfle comme un ballon sous sa gorge, et fait résonner les vibrations de ses cordes vocales. D'autres espèces possèdent deux sacs plus petits, disposés de chaque côté de la tête.

LE LANGAGE LE PLUS COMPLEXE

La baleine à bosse
tous les océans

On trouve dans le commerce des enregistrements de ses prouesses ! La baleine à bosse (qui peut atteindre 16 m et 45 tonnes), possède le langage le plus élaboré après l'homme. Elle est capable d'émettre plus de mille sons différents, lors de concerts qui durent plusieurs heures. Le plus étonnant, c'est qu'à partir de 6 thèmes principaux, chaque baleine improvise des mélodies uniques !

La baleine à bosse : concert en mer

LA RUSE

Dans la nature, il n'y a pas que la force qui compte ! Pour se protéger ou pour chasser, une bonne ruse peut se révéler aussi très efficace. Comme par exemple se camoufler dans le décor, ou imiter un animal plus gros que soi. Ou faire semblant d'être mort, ou utiliser un outil... La ruse, cela peut revêtir **toutes les formes**, et cela nous donne un sujet à méditer : méfions-nous des apparences !

Un papillon

Une chenille

Un naja

DRÔLES DE REGARDS !

Chenilles, papillons, serpents... La nature est remplie de « faux yeux », l'un des motifs les plus recherchés pour ruser avec l'ennemi. On le retrouve aussi sur un grand nombre de poissons. Parfois, le regard imite celui d'un autre animal plus gros, mais le plus souvent, il se contente d'être un masque effrayant !

RECORD D'ADAPTATION

Le géomètre du bouleau, de couleur
claire, se camouflait traditionnellement
sur les troncs blancs des bouleaux.
Mais, à la révolution industrielle,
les troncs sont devenus noirs de suie.
Alors, seuls les papillons les plus
sombres ont réussi à survivre, créant
de nouvelles souches génétiques :
en quelques générations, l'espèce
s'était adaptée.

SOMMAIRE

LE CAMOUFLAGE

Les prédateurs l'utilisent pour approcher discrètement leurs proies, les proies pour se dissimuler aux yeux des prédateurs... Le camouflage est **un art subtil**, qui peut revêtir de multiples formes. Voici les principales techniques employées, chacune illustrée par un « champion » du genre.

LE PLUS MOUVANT

Le tigre
Asie

Malgré son corps massif, ce grand félin se remarque à peine dans les hautes herbes. Son secret ? Ses rayures irrégulières, qui brisent ses contours. Les proies du tigre ne remarquent plus que des détails, sans percevoir son corps complet. Cet effet optique, appelé « rupture de silhouette », est utilisé par la plupart des félidés sauvages et de nombreux autres animaux terrestres ou marins : serpents, grenouilles, poissons...

Le tigre : effet d'optique

La vipère de l'erg : ni vue ni connue

La seiche : couleur express

LE PLUS SIMPLE

La vipère de l'erg
Sahara

Se camoufler, c'est parfois tout simplement...
se cacher ! C'est la tactique de nombreux
animaux vivant sur un sol ou un fond
sablonneux. La vipère de l'erg, elle, se tortille
et s'enfouit en quelques secondes dans le
sable, laissant à peine émerger le haut de
sa tête. Puis, aux aguets, elle attend la venue
d'une proie qu'elle attaquera par surprise.

Le lagopède : ton sur ton

LE PLUS RAPIDE

La seiche
océan Atlantique, Méditerranée

Selon l'environnement, certains animaux
peuvent changer de couleur. Le carrelet
(un poisson plat) le fait en quelques jours.
Le caméléon, en quelques minutes. La seiche,
elle, en moins... d'une seconde ! Elle utilise
pour cela des cellules pigmentées de sa
peau, qu'elle aplatit et étale brusquement,
produisant une large gamme de motifs
colorés.

LE PLUS UNI

Le lagopède
Europe, Asie, Amérique

Certaines grenouilles sont vertes comme
les feuilles, certaines araignées toutes jaunes
deviennent ensuite blanches pour continuer
à se cacher dans les fleurs... Appelé aussi
« perdrix des neiges », le lagopède, lui,
se couvre pour l'hiver d'un plumage épais,
blanc comme la neige où il se confond
parfaitement. Puis, au printemps, d'autres
plumes pousseront, brun clair comme le sol
qui réapparaît.

COMME DES PLANTES

Plus fort encore que le camouflage : certains animaux ont choisi d'adopter l'apparence des végétaux du décor ! Les rois de cette ruse sont les insectes : grâce à un luxe de détails incroyable, ils sont sûrs de **tromper** l'ensemble des prédateurs quelle que soit leur vision.

L'ALGUE LA PLUS FAUSSE

Le grand dragon des mers
Australie

C'est le plus étrange des hippocampes. Le grand dragon des mers possède un corps plat enrubanné de lanières, qui ondulent au gré des courants chauds dans lesquels il se laisse dériver. Comble de raffinement, ses yeux dissimulés par des rayures se distinguent à peine : la plupart des prédateurs n'y voient qu'un banal morceau d'algue flottante.

LA FEUILLE LA PLUS FAUSSE

La phyllie
Europe, Asie

On l'appelle aussi « insecte-feuille » : c'est tout dire ! Car non seulement la phyllie imite à la perfection une feuille, avec tout son fin réseau de nervures, mais elle a aussi appris à reproduire les accidents, comme la déchirure des bords, ou même... les taches de moisissure !

La phyllie :
perfectionniste

La chenille arpenteuse : copie conforme

LA BRINDILLE LA PLUS FAUSSE

La chenille arpenteuse
Europe

Elle choisit d'abord soigneusement son emplacement sur la branche, puis s'y accroche par de petits crochets, avant d'étendre son corps tout droit et demeurer parfaitement immobile. La ressemblance est ahurissante ! Mais, le moment venu, seule cette brindille-là se transformera en papillon.

Le grand dragon des mers :
à la dérive

LES ANIMAUX DÉGUISÉS

Pour mieux tromper l'ennemi, certains animaux sont capables d'en imiter d'autres, en permanence ou par moments. Toutes les stratégies mises en œuvre visent alors les mêmes buts : **dissuader** le prédateur, le faire hésiter, ou le surprendre pour avoir le temps de filer.

La chenille de la queue-fourchue
Europe

Un terrible serpent ? Un monstre carnivore ? Non, simplement... une chenille de papillon ! Le reste n'est qu'un simulacre, la gueule rouge grande ouverte comme les points noirs des yeux... De nombreux insectes utilisent cette tactique de masque, plus ou moins élaboré, mais qui fait quand même toujours hésiter les prédateurs.

La chenille de la queue-fourchue : à faire peur

LE PLUS IMITÉ

 ## Le serpent corail
Amérique centrale et du Sud

Noir, rouge et jaune : dans la nature, ces trois couleurs désignent souvent le poison. Celui du serpent corail est mortel, et les prédateurs ne s'y risquent pas. Mais, dans les mêmes régions, quelques « faux » serpents corail inoffensifs arborent les mêmes couleurs d'anneaux, en profitant ainsi de la protection visuelle. Cependant, le vrai serpent corail est le seul à avoir deux bandes jaunes entourant une bande noire.

LE PLUS VOYANT

 ## Le poisson-papillon
mers chaudes

Quand il bouge, on ne voit que son énorme « œil » noir cerclé de clair. Un « ocelle », en réalité un leurre pour tromper l'ennemi. Car son œil véritable, lui, est camouflé par une raie verticale. En cas d'attaque, le prédateur

*Le serpent corail :
les couleurs du danger*

*Le poisson-papillon :
mon œil !*

foncera droit vers la fausse tête (la queue), risquant moins d'atteindre un organe vital. Cette stratégie des « faux yeux » est utilisée par toutes sortes d'animaux, du cobra jusqu'à la chouette.

LES FEINTES

Et quand toutes les stratégies ont échoué, que le prédateur vous a repéré ? Eh bien, certains animaux ont encore **une botte secrète**. Voici quelques-uns de ces « recordmen » de la survie, sachant compenser par la ruse la force qui leur manque.

LE PLUS COMÉDIEN

Le serpent
zones chaudes et tempérées

Nombreux sont les animaux capables de simuler la mort. Le renard le fait parfois, et aussi des grenouilles, des oiseaux, des insectes...

Mais le champion de tous est le serpent (ici, une couleuvre), capable de pousser très loin la comédie. Certains petits boas antillais sécrètent même un liquide imitant l'odeur de putréfaction ! Ils font aussi éclater de minuscules vaisseaux dans leur bouche, pour que du sang s'écoule...

Le serpent :
mort ou vif ?

LE PLUS RÉSOLU

Le scinque occidental
Amérique du Nord

La queue bleu vif de ce jeune lézard monopolise le regard du prédateur. Si celui-ci bondit et réussit à s'en emparer, le scinque n'hésite pas : il sectionne aussitôt sa queue grâce à ses vertèbres spéciales. L'organe reste à se tortiller sur le sol, tandis que l'animal disparaît. Mais, en général, sa queue repoussera plus sombre, car l'adulte devenu plus rapide préfère un camouflage uni.

Le scinque occidental : queue éjectable

LE PLUS COURAGEUX

L'oiseau
monde entier

Alerte ! Un prédateur a repéré le nid. Alors, de très nombreux oiseaux (comme ici un œdicnème criard) n'hésitent pas : quelle que soit la taille de l'intrus, ils viennent le provoquer sous son nez. En piaillant, en sautant, en remuant des ailes, en faisant même parfois mine d'être blessé... En prenant tous les risques, dans le seul but de se faire prendre en chasse et d'éloigner le danger.

L'oiseau : David et Goliath

Le lézard à collerette : double fonction

LE PLUS DILATÉ

Le lézard à collerette
mers tropicales

Une feinte toujours efficace consiste à se faire passer pour plus gros que l'on est. C'est le cas, par exemple, du chat en colère qui hérisse son poil. Le lézard à collerette, lui, se met à siffler violemment, fouette l'air de sa longue queue, et déploie sa grande collerette de peau noire et rouge. Cela décourage les prédateurs, et cela attire aussi les femelles.

LES OUTILS

Longtemps, on a défini l'homme comme étant le seul primate capable de fabriquer des objets. Et puis, il fallut se faire une raison : les chimpanzés en faisaient autant ! Depuis, l'observation attentive a permis de découvrir de nombreux autres animaux utilisant cette « ruse » très intelligente, le plus souvent **pour se nourrir**.

*Le pinson de Darwin :
épée au bec*

L'OISEAU LE PLUS OUTILLÉ

Le pinson
de Darwin
Galapagos

À la recherche de petits insectes, il tient droit dans son bec une mince et solide aiguille de bois, ou parfois une épine de cactus. Dans les fentes et les fissures de l'écorce des arbres, il enfonce cette « épée » par coups secs, pour transpercer des proies, ou les forcer à sortir de leur cachette... Plus surprenant encore : le pinson de Darwin sait fabriquer lui-même son outil, taillant une fine aiguille à partir d'une brindille.

LE MAMMIFÈRE LE PLUS HABILE

La loutre de mer
Amérique du Nord

Pour briser les coquillages qu'elle va pêcher au fond de l'eau, la loutre se munit d'une pierre plate. Nageant sur le dos, elle pose cette « enclume » sur son ventre, et frappe violemment dessus le coquillage tenu entre ses deux pattes. En un seul après-midi, on a compté 2 200 coups pour 50 coquillages. Le plus surprenant, c'est que cette espèce de loutre de mer est souvent victime de graves... déchirures dans la poitrine !

*La loutre de mer :
enclume au ventre*

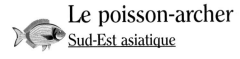
Le poisson-archer : goutte fatale

LE POISSON LE PLUS ADROIT

Le poisson-archer
Sud-Est asiatique

Un insecte est posé sur une feuille... Pof !
Une goutte d'eau surgie de la surface
le frappe soudain comme un coup de poing.
Déséquilibré, il tombe à l'eau, aussitôt avalé
par son agresseur. Avec la bouche, le
poisson-archer est capable de propulser
à plus de 4 m de l'eau sous pression, mais
il ne vise bien que jusqu'à 2 m. En corrigeant
au passage la déformation due à la réfraction
de la lumière dans l'eau !

Le chimpanzé : brochette de termites

LE MAMMIFÈRE LE PLUS MALIN

Le chimpanzé
Afrique

D'abord, il va chercher une brindille. Puis
il la coupe à la longueur voulue, la lisse
soigneusement. Enfin, très concentré, le
chimpanzé introduit son outil dans les
galeries de la termitière. Quelques instants
après, il le ressort couvert d'une
« brochette » d'insectes
furibonds... qu'il avale avec
délices ! Cet exploit est
le plus spectaculaire, mais
les chimpanzés savent
aussi frapper un ennemi
avec un gourdin, casser
des noix avec une
pierre, se fabriquer
une éponge avec
des feuilles...

LES ARMES

Même tout nu, l'homme est capable d'attaquer ou de se défendre.
Nous pouvons frapper avec nos pieds ou nos poings, mordre avec nos dents, griffer avec nos ongles... Mais il faut pourtant se rendre à l'évidence : de nombreux autres animaux, au fil de l'évolution, se sont dotés d'**armes offensives ou défensives** bien plus efficaces que les nôtres !

ATTAQUES... ET DÉFENSE !

Le renard, avec ses dents pointues, cherche à saisir ses proies à la gorge. Le rapace s'efforce de les attraper par surprise entre ses serres puissantes. Le serpent cherche le point sensible pour mordre et inoculer son venin. Trois armes, trois stratégies d'attaque parmi d'autres... mais qui, cette fois, ne pourront rien contre le hérisson armé de solides piquants !

Un aigle

Un renard

Un serpent

Un hérisson

LÉGENDE TENACE

La plus redoutable arme du scorpion
(ici un empereur tropical, le plus grand au
monde, qui peut atteindre 20 cm de long),
c'est le dard fixé au bout de sa queue
recourbée. Mais contrairement à la légende,
il serait incapable de s'en servir pour
se suicider : l'animal est immunisé contre
son propre venin !

LES CUIRASSES

Le bénitier est le plus gros coquillage au monde, et la tortue luth possède la plus grosse carapace. Mais de très nombreux autres animaux utilisent une cuirasse comme **moyen de défense**. Avec un gros avantage, c'est qu'elle les suit partout. Avec un gros inconvénient aussi, c'est qu'ils sont obligés de la traîner partout.

LA PLUS RONDE

Le tatou à neuf bandes
Amérique

En Afrique et en Asie, les pangolins aux grosses écailles sont capables de se recroqueviller en forme de pomme de pin. Les tatous d'Amérique, eux, possèdent une solide cuirasse articulée faite de bandes osseuses réunies par une peau flexible. Le plus connu, le tatou à neuf bandes, se transforme quand il se sent menacé en une grosse boule dure. À décourager un honnête prédateur !

Le tatou à neuf bandes : boule d'écailles

LA PLUS CARRÉE

Le poisson-coffre
mers tropicales

Son nom vient de sa silhouette : ce poisson bizarre est taillé... à angles droits ! Indéformable, dur comme la pierre, son corps est protégé par une « boîte » épaisse constituée de plaques osseuses jointes bord à bord. La bouche en émerge à une extrémité, tandis qu'à l'autre une queue courte ne lui permet de se déplacer que lentement. Mais qui se risquerait à croquer un poisson-coffre ?

Le poisson-coffre : indéformable !

Le rhinocéros unicorne : victime de l'homme

DRÔLE DE SQUELETTE

La musaraigne renforcée ne mesure pas plus de 15 cm de long, et pourtant... peut supporter sans dommages qu'un homme adulte lui monte dessus ! Tout le secret de cette musaraigne réside dans son squelette : sa colonne vertébrale est renforcée d'un véritable « tricot » de petits os enchevêtrés, qui lui donnent une résistance extraordinaire à la pression. Pour quoi faire ? Mystère...

Le rhinocéros unicorne
Népal, Inde

C'est le plus grand de tous les rhinocéros : il peut atteindre 2 m à l'épaule, pour un poids de 4 t. Ce véritable « cuirassé vivant » est protégé par une peau épaisse de 2 cm, formant de grandes plaques rigides reliées entre elles par des replis souples. Hélas, cela ne suffit pas à protéger ce paisible herbivore contre son pire ennemi : l'homme, qui le massacre pour sa corne soi-disant aphrodisiaque.

Le bernard-l'ermite
monde entier

À l'inverse des crabes, ce crustacé ne possède qu'un abdomen mou ! Alors, pour se protéger, le bernard-l'ermite cherche refuge dans une coquille de mollusque vide. Une fois à l'intérieur, il s'y cramponne à l'aide de ses courtes pattes arrière, avant d'affronter le monde marin à la manière des crabes, en brandissant ses grosses pattes antérieures.

Le bernard-l'ermite : squatter des mers

LES PIQUANTS

Le monde animal aussi possède ses « cactus » ! Les piquants sont une forme de défense simple et efficace, très répandue chez les animaux inférieurs.

Le poisson-porc-épic

mers tropicales

En temps normal, c'est un poisson au corps allongé, dont les piquants sont rabattus le long des flancs. Mais il est capable de tripler

Mais d'autres ont aussi appris à s'en servir comme **une arme**, et les ennemis qui s'y frottent, en général... ne reviendront pas une deuxième fois s'y piquer !

de volume en quelques instants, grâce à un sac extensible à l'intérieur de son corps.

Le poisson-porc-épic : gonflé !

Le moloch : diable du désert

Le moloch
Australie

Appelé aussi « diable cornu », ce drôle de lézard peut atteindre 18 cm de long, et se déplace plutôt lentement. Mais il ne redoute aucun prédateur, protégé par ses gros piquants coniques hérissés en permanence. Bariolé de jaune et de brun, il change aussi de couleur en fonction du lieu où il se trouve et de son état émotionnel.

MAMMIFÈRE RECORD

Le porc-épic à grande crinière
Sénégal

Des 24 espèces de porcs-épics au monde, c'est lui qui possède les piquants les plus longs. Rayés de noir et de blanc, ils peuvent atteindre... 50 cm de long ! Quand il se sent en danger, il commence par les agiter bruyamment, puis, si cela ne suffit pas, recule brusquement vers l'intrus. Et cela fait d'autant plus mal que ses piquants se détachent facilement, pour rester plantés comme des flèches...

Le porc-épic à grande crinière : Ouille !

L'oursin diadème : longues aiguilles

OURSIN RECORD

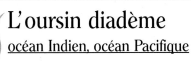

L'oursin diadème
océan Indien, océan Pacifique

Il appartient (comme 6 000 autres espèces) à l'embranchement des échinodermes, dont le nom signifie littéralement « à la peau épineuse ». Mais l'oursin diadème possède les plus longs piquants ! Ils peuvent atteindre 30 cm de long et sont assez fins pour perforer la peau des prédateurs. Son grand ennemi ? Le poisson baliste, qui le renverse en soufflant dessus afin de pouvoir l'attaquer là où les piquants sont plus petits : sur sa face inférieure et autour de la bouche.

LES DENTS

Incisives, canines, prémolaires, molaires : à chaque dent
sa fonction, à chaque type d'animal sa dentition particulière,
pour couper et broyer les aliments, attraper des proies
ou se défendre... Mais toutes les dents ont d'abord un point
commun : elles constituent **la partie la plus dure du corps**
d'un animal, et la seule partie visible de son squelette.

Le requin blanc : les dents de la mer

NOMBRE RECORD

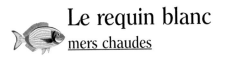

Le requin blanc
<u>mers chaudes</u>

Ses dents triangulaires (qui peuvent
atteindre 6 cm), sont implantées sur
la mâchoire par rangées successives,
qui s'avancent au fur et à mesure dans
la gueule : quand la rangée de devant est
usée, elle tombe, aussitôt remplacée par
la suivante... Plus étonnant encore : la peau
des requins est aussi recouverte de dents
plus petites, mais de même structure.
Ce qui fait que sur un seul animal,
on peut compter jusqu'à... 12 000 dents !

Le ragondin : croque-racines

RONGEUR RECORD

Le ragondin
Amérique du Sud, Europe

L'ordre des rongeurs (2 000 espèces) est le plus riche de la classe des mammifères. Tous possèdent 4 incisives qui continuent à pousser tout au long de la vie de l'animal, en s'usant au fur et à mesure qu'il ronge des matériaux durs. Celles du ragondin sont orange et très visibles. Mais c'est le rat-taupe qui possède les plus grandes (4 cm) par rapport à sa taille. Il les utilise pour trancher des racines, quand il creuse ses galeries souterraines.

Le vampire : buveur de sang

DÉFENSE RECORD

Le narval
régions arctiques

C'est en réalité l'éléphant d'Afrique qui détient le record des plus longues défenses, mesurées à près de 3,50 m. Mais celle du narval, unique et torsadée, peut tout de même atteindre 2,50 m de long, contre 1,63 m chez l'hippopotame. Chez tous ces animaux, les défenses ne sont que des incisives modifiées, dont la croissance continue n'est freinée par aucune usure.

Le narval : spirale sans fin

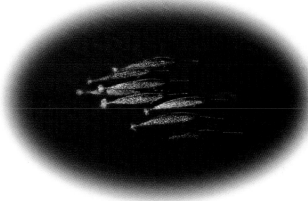

MORSURE RECORD

Le vampire
Amérique du Sud

Il n'est en réalité guère plus gros qu'un petit rat (8 cm et 35 g en moyenne). Mais, très agressif, le vampire découpe avec ses incisives longues et tranchantes un triangle de peau chez ses victimes endormies, puis boit avidement le sang qui coule de la blessure. Cette redoutable chauve-souris peut transmettre la rage et s'attaque aussi à l'homme, avec une préférence pour le nez et les orteils.

LES CORNES

Celle du rhinocéros est produite par l'épiderme. Celles des bovidés ont une structure osseuse recouverte d'un étui corné. Quant aux « bois » des cervidés, ce ne sont que des os. À chaque mammifère ses **attributs particuliers**, qui lui servent souvent d'abord à affirmer son sexe et son rang social. Quitte, en cas de conflit, à devenir aussi un argument très... pointu !

LES PLUS GRANDS BOIS

L'élan d'Alaska
Amérique du Nord

C'est le plus grand cervidé au monde : il peut atteindre 2,30 m au garrot pour un poids de 800 kg. À ce seigneur, il fallait des bois dignes de lui. Ceux d'un mâle adulte au sommet de sa puissance atteignent souvent les 2 m d'envergure, le record connu étant même de 2,29 m. Un bel atout, pour séduire une femelle et se mesurer aux autres mâles.

L'élan d'Alaska : beau mâle

Le buffle d'Asie : ami de l'homme

LES PLUS LONGUES CORNES

 ### Le buffle d'Asie
Europe, Asie

D'une pointe à l'autre de ses cornes (en tenant compte du front), le record a été mesuré à 4,24 m ! Le buffle d'Asie détient le record absolu, mais il n'y a pas de quoi avoir peur. Ce géant de 800 kg est aussi un paisible animal domestique, qui adore s'immerger dans les mares et les lacs en ne laissant dépasser que le bout de son museau d'où son autre nom de « buffle d'eau ».

LES CORNES LES PLUS CURIEUSES

 ### Le pronghorn
Amérique du Nord

Chez la plupart des bovidés, les cornes sont permanentes et se développent au fil des ans. Le pronghorn, lui, est un cas à part. Car non seulement ses cornes ont une forme unique, mais en plus elles sont creuses, et tombent et repoussent chaque année ! Cela vaut à ce remarquable coureur (il peut atteindre 90 km/h) d'être classé dans une famille à lui tout seul.

LES PLUS BELLES CORNES

 ### L'antilope cervicapre
Inde

Bien sûr, c'est un faux record, juste pour le plaisir des yeux. Cette antilope indienne est considérée par beaucoup comme la plus belle du monde. Seul le mâle possède ces splendides cornes en hélice. Mais elles ne mesurent en moyenne qu'1,20 m, contre 1,76 m pour celles du grand koudou, une antilope africaine (nettement plus grande) qui détient le record.

L'antilope cervicapre : vis sans fin

Le pronghorn : cas unique

LE VENIN

Les animaux venimeux sont parmi les plus dangereux pour l'homme, toujours surpris par leur **offensive fulgurante**. Pourtant, sauf pour se nourrir, aucun n'attaque jamais de son plein gré. Venin, poison, morsure, piqûre ne sont utilisés que lorsque l'animal se sent menacé, ou parfois... par accident !

Le poisson-pierre : pierre de feu

L'ARAIGNÉE LA PLUS VENIMEUSE

La veuve noire
Amérique du Sud, Afrique, Asie, Australie

Bien plus dangereuse que la fameuse tarentule, la veuve noire adore tisser ses toiles dans les recoins des habitations humaines, où sa petite taille la rend difficilement repérable. Sa morsure est extrêmement douloureuse, et parfois même mortelle : son venin, s'attaquant au système nerveux, provoque de violents spasmes musculaires, puis la paralysie.

LE POISSON LE PLUS VENIMEUX

Le poisson-pierre
océan Indien, océan Pacifique

Posé sur le fond, il ressemble à une grosse pierre. Mais dès qu'on le dérange, le poisson-pierre dresse ses épines dorsales pourvues d'un venin redoutable. Qu'un homme marche dessus, il sera pris d'un violent délire, son pied enflera, ses orteils noirciront et tomberont. Parfois, ce venin sera mortel.

La veuve noire : terreur des maisons

Le kokoï
<u>Colombie</u>

Cette petite grenouille aux couleurs vives ne mesure que 5 cm de long. Mais dans ses glandes, elle détient le poison (la batrachotoxine) le plus violent connu à ce jour. En théorie, un seul gramme suffirait à tuer 100 000 hommes ! Les Indiens le savent bien, qui utilisent traditionnellement son venin pour enduire la pointe de leurs flèches.

Le kokoï : record absolu

LE SERPENT LE PLUS VENIMEUX

Le taïpan
<u>Australie, Nouvelle-Guinée</u>

C'est le plus venimeux des serpents terrestres : ses glandes produisent environ 400 mg de venin sec, assez pour tuer 200 hommes. Et en l'absence du sérum approprié, la chance de survivre à sa morsure est quasiment nulle... Quant à la vipère du Gabon, elle détient le record des plus longs crochets, qui peuvent atteindre 5 cm !

Le taïpan : crochets mortels

ARMES EN STOCK

Décharges électriques, jets de liquide toxique, vapeur bouillante... En plus des armes traditionnelles, certains animaux disposent encore d'**un incroyable arsenal** pour venir à bout de leurs ennemis. Dans cette guerre sans merci, voici quelques « records » en leur genre.

COCOTTE-MINUTE

Incroyable : cet insecte, le bombardier, est capable de produire un liquide à 70 °C ! À la base de ce prodige, plusieurs substances se mélangeant dans son abdomen provoquent une réaction chimique dégageant de la chaleur. Sous la pression de la vapeur, le mélange jaillit vers l'agresseur, jusqu'à 50 salves d'affilée, chacune d'elles accompagnée d'un cliquetis effrayant. De plus, le liquide très caustique peut rendre momentanément aveugle.

LA PLUS URTICANTE

La physalie
mers chaudes

C'est elle, la fameuse « galère portugaise » tant redoutée des baigneurs. Ses filaments (qui peuvent atteindre 6 m de long) sont recouverts de cellules urticantes contenant chacune un petit tube projeté comme un harpon, perforant la peau de sa victime. Un poisson sera aussitôt paralysé. Un homme, lui, se couvrira de cloques douloureuses, et s'en souviendra toute sa vie !

La physalie : fouet de la mer

Le gymnote : gare aux décharges !

LA PLUS ÉLECTRIQUE

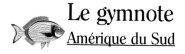

Le gymnote
Amérique du Sud

Pour les pêcheurs brésiliens il s'appelle « le trembleur » : le long des flancs de ce grand poisson d'eau douce (jusqu'à 2 m), des muscles modifiés forment l'organe électrique le plus puissant du règne animal. Très agressif, le gymnote peut émettre à la suite plus de 200 brèves décharges de 600 volts (sous 1 ampère). De quoi tuer un autre poisson, assommer un homme, ou... illuminer un tube au néon de 40 watts et d'1,20 m de long !

La mouffette : attention au jet !

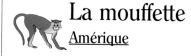

LA PLUS PUANTE

La mouffette
Amérique

Appelée aussi « skunk », cette cousine du putois commence par avertir l'ennemi en étalant la fourrure noire et blanche de sa queue épaisse. Puis, s'il insiste, la mouffette relève la queue, vise par-dessus son épaule et... tire jusqu'à 10 m de distance un jet ambré jailli de ses glandes anales (mais le tir n'est précis que jusqu'à 3 ou 4 m). Corrosif, le liquide est aussi tellement puant qu'un tissu qui en est imprégné sent encore un an après !

LA CONSTRUCTION

Tous les animaux vivent sur un territoire. Jusqu'à 400 km²
pour le tigre, de la taille d'un mouchoir pour certains
insectes. Mais, pour se protéger et mettre leurs petits
au monde, certains ont aussi besoin d'**un abri**. Cela peut
être un simple recoin, un trou dans la terre. Ou parfois,
une construction plus élaborée. Maçons, charpentiers,
tisserands du monde animal se mettent alors à l'ouvrage.

COMMENT L'ÉPEIRE DIADÈME TISSE SA TOILE

1 • D'abord, l'araignée tisse deux fils horizontalement entre deux points d'appui.

2 • Tissant un troisième fil verticalement, elle se laisse tomber jusqu'à trouver
un point d'appui.

3 • À partir du centre, elle construit l'armature et les rayons de la toile.

4 • Une première spirale sèche permet de maintenir provisoirement la toile.

5 • Une deuxième spirale gluante, plus fine, vient remplacer la première qui est
mangée (rien ne se perd !).

L'araignée a commencé son travail à l'aube ; et à l'heure où le chaud soleil incite
les insectes à prendre leur vol, son travail est achevé, le piège prêt à fonctionner.

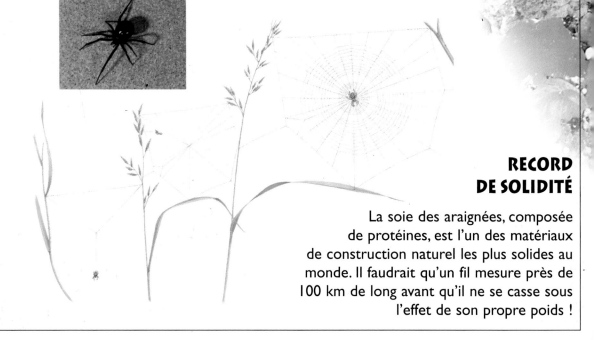

RECORD
DE SOLIDITÉ

La soie des araignées, composée
de protéines, est l'un des matériaux
de construction naturel les plus solides au
monde. Il faudrait qu'un fil mesure près de
100 km de long avant qu'il ne se casse sous
l'effet de son propre poids !

CALCAIRE EN STOCK

Un seul banc de corail peut couvrir jusqu'à... 280 km² ! Mais il ne s'agit pas d'une construction réfléchie, seulement d'une accumulation. Chaque animal sécrète un fourreau de calcaire dur (de 2,5 cm maximum par an), et à sa mort les générations suivantes se développent sur ses restes.

LES NIDS D'OISEAUX

Plus l'oiseau est grand, plus grand sera le nid : cette règle de base est valable pour de nombreuses espèces, quel que soit le procédé de construction. Mais, comme toujours dans la nature, il existe aussi **des exceptions** : certains petits oiseaux n'ont pas peur de voir très, très grand...

Le mégapode de Freycinet : nid de compost

LE PLUS GROS (AU SOL)

 ### Le mégapode de Freycinet
<u>Australie</u>

Il peut atteindre 5 m de hauteur, 12 m de diamètre, et peser... 300 tonnes ! Ce gigantesque nid, fabriqué par l'oiseau mâle (de la taille d'une perdrix), est en réalité un trou rempli de débris végétaux destinés à pourrir en dégageant de la chaleur. Le mâle invite la femelle à pondre ses œufs au milieu de cet énorme tas de compost, et maintient ensuite la température interne à 35 °C en ajoutant ou en enlevant du sable.

LE PLUS COLLECTIF

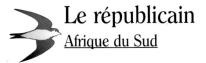 ### Le républicain
<u>Afrique du Sud</u>

Proche du moineau, ce petit oiseau tisserin vit en colonies de 20 à 50 couples, unissant leurs efforts pour construire un grand nid d'herbes tressées. Mais, sous le toit commun, chaque couple aménage sa propre « chambre » avec une entrée séparée. Ensuite, chaque année, les oiseaux agrandissent l'ouvrage. Le plus gros nid connu mesurait plus de 5 m de diamètre ! Le seul danger : en cas de pluie, l'ouvrage peut s'alourdir jusqu'à faire se briser la branche.

Le républicain : un nid pour tous

LE PLUS GROS (PERCHÉ)

L'aigle royal
Europe

Régnant sur un vaste territoire de plusieurs km², l'aigle royal niche en hauteur, au sommet d'un arbre ou sur la paroi escarpée d'une falaise. Constitué de branches (jusqu'à 2 m de long) et de brindilles accumulées au fil des saisons, son nid peut atteindre 4,5 m de large et peser plus de 2 tonnes ! Le même lui servira pendant toute la durée de sa vie, qui peut atteindre 46 ans. Ensuite, d'autres générations pourront s'y succéder, jusqu'à la chute de l'arbre ou de la branche.

L'aigle royal : inaccessible

LE PLUS PETIT

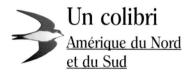

Un colibri
Amérique du Nord et du Sud

À plus petits oiseaux, plus petits nids au monde. Celui du colibri calliope serait le plus minuscule de tous, avec moins de 2 cm de diamètre pour 3 cm de hauteur ! Mais la construction de ces délicats ouvrages demande tout de même deux à trois semaines de travail aux femelles colibris. Le matériau de base ? De vieilles toiles d'araignées « recyclées », qui combinent résistance, légèreté et confort.

Un colibri : dé à coudre

ARTISANS OISEAUX

Le meilleur charpentier, tout le monde le connaît : c'est le pic, capable de se creuser un nid à grands coups de bec dans un tronc d'arbre. Mais **de nombreux autres talents** se sont aussi développés chez les oiseaux, dont voici les plus spectaculaires « records ».

L'oiseau-jardinier :
nid d'amour

DÉCORATEUR RECORD

L'oiseau-jardinier
Australie, Nouvelle-Guinée

Il construit son nid de brindilles sur le sol, entouré d'un petit jardin de 1m² environ, délimité par une palissade. Puis l'oiseau-jardinier (16 espèces connues) entreprend de tout décorer. Le sol de l'enclos est recouvert d'une mosaïque de coquilles d'escargots ou d'os blanchis ; l'intérieur du nid est tapissé de mousse, rehaussé de multiples objets colorés : baies rouges, insectes bleu vif, petites fleurs jaunes et même... tessons de verre ou lambeaux de plastique ! Plus fort encore, certains oiseaux sont même capables de « peindre » les parois de la palissade, en tenant dans leur bec un bout de bois dont l'extrémité, ramollie par la salive, est imprégnée de jus de baies colorées.

CRACHEUR RECORD

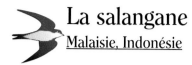

La salangane
Malaisie, Indonésie

Pour construire son petit nid en forme de coupe, accroché aux parois des cavernes, la salangane utilise... sa propre salive, qui durcit en séchant. Seul ennui : elle est souvent obligée de le reconstruire trois fois entre février et mai, car l'homme les récolte entre-temps. Vendus ensuite sur les marchés de Hong Kong, ils servent à confectionner la fameuse « soupe aux nids d'hirondelles » !

La salangane :
nid comestible

POTIER RECORD

Le fournier
Amérique du Sud

Appelés aussi « oiseaux-potiers », les fourniers utilisent, comme l'hirondelle, jusqu'à 2 000 boulettes de terre pour construire dans les arbres leurs nids tout ronds. Ceux-ci peuvent atteindre 20 cm de diamètre, et sont pourvus d'une entrée et d'une antichambre de sécurité. Les œufs placés à l'intérieur éclosent en 3 ou 4 semaines, après quoi les oisillons s'envolent pour ne plus revenir, car la construction est devenue... un vrai four !

Le fournier :
boule de boue

TISSERAND RECORD

Le tisserin
Afrique, Asie

Vus de loin, on dirait de gros fruits suspendus aux branches d'arbres. De plus près, les nids des tisserins (70 espèces environ) sont les plus compliqués de tous. Le mâle construit son ouvrage seul, capable d'utiliser trois sortes de nœuds différents pour tresser les longues fibres végétales. Et à la moindre erreur, il recommence tout à zéro, jusqu'à réaliser le nid parfait... qui convaincra une femelle de venir s'y installer !

Le tisserin :
brin après brin

CITÉS D'INSECTES

Les insectes « sociaux » savent partager l'espace vital comme personne. Capables d'une coordination sans faille, ils construisent les édifices les plus impressionnants du monde animal. Dans ces **nids géants**, la discipline est rigoureuse. Reines, ouvriers, esclaves, soldats : à chacun son rôle, un rôle pour chacun !

La fourmi rousse : cultures souterraines

FOURMILIÈRE RECORD

La fourmi rousse
Europe, Asie

On la rencontre souvent dans les forêts d'Europe. De l'extérieur, on ne voit qu'un monticule pouvant atteindre 2,50 m de haut. Mais le nid de la fourmi rousse, qui abrite jusqu'à un million d'individus, s'étend aussi sous la terre, sur parfois 15 m de diamètre et 6 m de profondeur. La raison du monticule de terre meuble ? Il sert à évacuer la terre des galeries, et offre une plus large surface aux rayons du soleil pour absorber la chaleur.

CONSTRUCTION RECORD

Le termite
zones tropicales et subtropicales

Les termites sont les champions absolus du monde animal. Leurs constructions de terre mélangée à de la salive peuvent atteindre 8 m de haut et 20 m de diamètre (sans compter la partie souterraine) ! Une seule termitière peut abriter plus de 10 millions d'individus, et on en a vu rester habitées pendant plus d'un siècle. Ensuite, les hommes récupèrent parfois la terre pour en faire des briques : en Afrique, une termitière en a fourni 450 000 !

Le termite :
cathédrales
de terre

L'abeille domestique :
rayons de cire

RUCHE RECORD

L'abeille domestique
monde entier

80 000 individus : c'est le nombre record d'abeilles évalué dans une ruche sauvage. Celle-ci comprend plusieurs rayons verticaux suspendus dans un abri (comme le tronc d'un vieil arbre), composés chacun de milliers d'alvéoles de cire. Leur structure hexagonale a été maintes fois imitée par l'industrie humaine : c'est la forme permettant d'obtenir la plus grande surface utile, et la plus grande résistance avec le minimum de matériel et d'énergie.

ARTISANS INSECTES

Dans le monde grouillant des insectes, les techniques de construction sont incroyablement variées. Plutôt que des « records », voici quelques « curiosités » issues du travail de ces **architectes infatigables**.

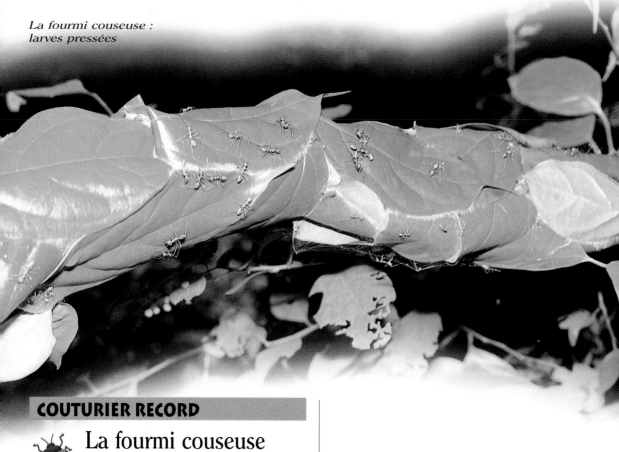

La fourmi couseuse : larves pressées

La fourmi couseuse
forêts d'Asie

La fourmi coupeuse de feuilles : cultures souterraines

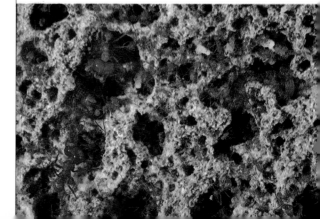

Appelée aussi fourmi fileuse, cette grosse fourmi rouge et vert construit son nid à partir de feuilles fraîches : leurs bords sont rabattus avant d'être « cousus » ensemble par des fils de soie. L'outil des ouvrières ? Une larve de leur espèce qu'elles tiennent entre leurs mandibules et qui émet un fil de soie. Exactement comme... un tube de colle !

RÉCUPÉRATEUR RECORD

La larve de la phrygane
eaux douces

La larve de la phrygane :
débris utiles

Les phryganes ressemblent à des petits papillons gris, passant presque inaperçus au bord des rivières où ils vivent. Mais leur larve accomplit dans l'eau un prodige ! Elle est capable de se construire un fourreau avec divers débris agglutinés, qu'elle attrape et découpe avec ses pattes et ses mandibules, avant de les coller entre eux avec de la soie. Résultat : un petit tube rigide et parfaitement camouflé !

CULTIVATEUR RECORD

La fourmi coupeuse de feuilles
Amérique du Sud

Une plante qui marche ? Non, ce sont simplement des fourmis en file indienne, ramenant dans les profondeurs de leur nid des morceaux de feuilles déchiquetées. Une fois mâchées, ces feuilles disposées dans des chambres spéciales serviront... de terreau pour cultiver une espèce de champignon, qui constitue la nourriture unique de ces drôles d'insectes (appelés aussi fourmis champignonistes).

PAPETIER RECORD

Le frelon
Europe

De nombreux insectes fabriquent du papier à partir de fibres de bois mélangées à de la salive. La reine des frelons, elle, construit toute seule le début de son nid rond, composé de parois successives. La première enveloppe achevée, elle y pond des œufs qui deviendront des ouvrières, enclenchant le processus d'une colonie qui pourra atteindre plusieurs milliers d'individus, dans un nid devenu énorme, mais... léger comme du papier !

Le frelon : reine courage

LE PLUS VITE CONSTRUIT

Le rat des moissons
Europe, Asie

Perché à 50 cm ou 1 m du sol, dans les herbes hautes, son nid est bien plus petit que celui de l'écureuil (qui mesure 50 cm de diamètre), et bien plus simple que celui du rat des bois américain (qui possède 4 ou 5 « chambres »)... Mais parmi une multitude de rongeurs, le rat des moissons est bien le constructeur le plus rapide. En 5 à 10 heures à peine, voici un joli petit nid tressé, solide et régulier, tapissé à l'intérieur de feuilles et de mousse finement déchirées, et prêt à accueillir 5 ou 6 petits qui y grandiront pendant 15 jours, avant de s'éparpiller pour devenir adultes à l'âge de... 4 ou 5 semaines !

*Le rat des moissons :
rapide bijou*

LES NIDS DES MAMMIFÈRES

Les gros singes anthropoïdes, comme les gorilles, construisent chaque soir, en quelques minutes, un nid de feuilles rudimentaire. D'autres mammifères, en revanche, peuvent passer plusieurs années à construire et consolider un même ouvrage. **À chacun ses impératifs**, à chacun ses capacités !

Le blaireau : ami des squatters

Le castor : bûcheron bûcheur

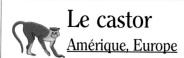

LE PLUS PROFOND

Le blaireau
Europe, Asie

Très nombreux sont les mammifères capables de se creuser un abri ou un terrier. La taupe et la marmotte sont des spécialistes bien connus. Mais le plus grand terrier de tous appartient au blaireau : agrandi au fil des générations successives, il peut atteindre 5 m de profondeur, 100 m de diamètre, et posséder jusqu'à 50 sorties différentes ! Mais comme l'ensemble n'est jamais habité en permanence, dans ce dédale de galeries, le blaireau tolère aussi parfois que des renards et des lapins s'installent, s'épargnant ainsi l'effort de creuser leur propre terrier.

LE PLUS GROS

Le castor
Amérique, Europe

Faite de bûches cimentées avec du limon, la hutte du castor, où il vit en petites unités familiales, peut atteindre 2 m de haut pour 5 à 6 m de diamètre. L'entrée se situe toujours sous l'eau, à l'abri des ennemis et du gel de l'hiver. Alors, pour maintenir un niveau d'eau élevé, les castors rongent, abattent et débitent d'autres arbres (de 60 cm de diamètre maximal) qui leur servent à édifier des barrages incroyables : jusqu'à 4 m de haut et... 500 m de long !

AUTRES NIDS

Ces animaux-là ne sont certainement pas les plus connus des constructeurs. Pourtant, certains poissons, batraciens ou reptiles savent aussi échafauder des nids pour protéger leurs petits. Voici, parmi eux, les grands experts et leurs **surprenantes techniques**...

*L'épinoche à trois épines :
travail de mâle*

POISSON RECORD

L'épinoche à trois épines
Amérique du Nord, Asie, Europe

C'est le plus célèbre des poissons bâtisseurs. Le mâle commence par creuser une fosse dans le sol, puis construit par-dessus un nid en forme de tunnel, fait de débris végétaux (algues ou racines) agglutinés par une sécrétion gluante. Quand l'ouvrage est achevé, une femelle vient y pondre, avant de s'en aller en laissant le mâle s'occuper seul des œufs. Pour leur assurer l'oxygène nécessaire, l'épinoche passera des heures devant l'entrée du nid, à ventiler l'eau avec ses nageoires !

Le crocodile de Morelet...

REPTILE RECORD

Le crocodile de Morelet
Amérique centrale

Les crocodiles sont les seuls reptiles à construire un vrai nid, proche des nids primitifs d'oiseaux. L'un des plus grands est celui du crocodile de Morelet : la femelle creuse un trou dans le sol avant d'y empiler un mélange de boue, de branches et de feuillages en décomposition (qui peut atteindre 3 m de haut), dans lequel elle enfouit ses œufs. À peine éclos, les jeunes crocodiles devront d'abord réussir à grimper jusqu'à la surface du monticule, puis seront aussitôt livrés à eux-mêmes.

... et son nid incubateur

La grenouille chiromantis : nid d'écume

BATRACIEN RECORD

La grenouille chiromantis
Afrique

Voici le nid le plus léger du monde : il est construit en mousse ! La grenouille chiromantis, comme d'autres espèces, rejette d'abord par le cloaque une grande quantité de mucus visqueux, qu'elle se met à « battre en neige » avec ses pattes postérieures, aidée par plusieurs mâles. Puis elle pond ses œufs dans la boule de mousse obtenue, qui peut atteindre 10 cm de diamètre, rendue étanche par une croûte durcie. À l'intérieur, les petits têtards trouveront toute l'humidité nécessaire !

LES PIÈGES

Certains animaux utilisent des leurres pour attirer leurs victimes.
Mais il en existe aussi d'autres capables de construire de véritables pièges. **Les araignées**, bien sûr, sont les reines incontestées de la spécialité : on en a déjà recensé plus de 15 000 espèces sachant tisser des toiles diablement efficaces.

LA PLUS BELLE TOILE

L'épeire diadème
Europe et Amérique du Nord

Cette araignée sédentaire fait des merveilles dans nos jardins !
Entre les arbustes, elle étend une toile qui peut atteindre 2 m de circonférence, rendue brillante et argentée par la rosée du matin.
Ce n'est pas la plus grande toile, mais sa régularité en fait la plus belle de toutes.

L'épeire diadème : dentelle de toile

FILET DE PÊCHE

Pour certaines araignées, la toile devient un piège actif. Ainsi, les dinopsis se suspendent à l'envers, tenant entre leurs deux paires de pattes antérieures les quatre coins d'un filet pas plus gros qu'un timbre-poste (5 cm² environ), ébouriffé de milliers de petites boucles. Dès qu'un insecte passe, hop ! l'araignée écarte brusquement le filet et l'étale sur la proie. Cela réussit en moyenne une fois sur quatre.

LE PIÈGE LE PLUS GLISSANT

Le fourmi-lion
monde entier

Une fourmi se promène sur le sable. Tiens, un petit cratère l'intrigue (de 10 cm de diamètre maximal), avec ses parois bien lisses en forme d'entonnoir. Elle s'approche, se penche... et entame sa chute inexorable vers le fond, où elle sera aussitôt broyée par les puissantes mandibules de la larve du fourmi-lion. Celle-ci, enfouie aux trois quarts dans le sable, accumule ainsi l'énergie pour se métamorphoser un jour en un bel insecte ailé.

Le fourmi-lion : sable mouvant

L'orbe tisserane : spirale géante

LA PLUS GRANDE TOILE

L'orbe tisserane
Madagascar

Cette araignée est si grande qu'elle est capable, en allongeant les pattes, d'encercler la paume d'une main d'homme. Ses toiles aériennes, souvent tendues entre deux arbres, sont les plus grandes au monde : on en a mesuré jusqu'à 5,50 m de circonférence ! Tapie au centre, l'orbe tisserane guette la moindre vibration et se précipite sur sa victime pour l'entourer de soies fines et gluantes, en même temps qu'elle la mord en lui inoculant un poison paralysant. À Madagascar, elle a même été élevée... pour récolter la soie !

LA REPRODUCTION

Tous les organismes vivants doivent mourir un jour : alors, il leur faut d'abord **transmettre la vie**. Et si quelques animaux peuvent produire des descendants sans avoir besoin de s'accoupler, la majorité utilise la reproduction sexuée. L'union d'un mâle et d'une femelle offre une infinité de combinaisons sur lesquelles s'exerce ensuite la sélection naturelle, permettant au fil des générations de perpétuer des souches robustes...

NAISSANCE RECORD

La jument accouche souvent à l'aube, car,
pour les chevaux sauvages, comme pour
tous les herbivores, c'est l'heure où, dans
la nature, les fauves sont le moins à craindre.
Après la mise bas, elle commence aussitôt
à lécher son petit tout mouillé, qui tremble,
vacille... et réussit soudain à se mettre
debout, chancelant encore sur ses pattes
écartées et maladroites. Avant la fin
de la matinée, pourtant, le poulain saura
déjà marcher, trotter et galoper, prêt à fuir
aux côtés de sa mère au moindre danger.

PROLIFÉRATION RECORD

La paramécie est un animal unicellulaire
qui se reproduit par division à une allure
phénoménale. Ainsi (en théorie), un seul
individu, pesant au départ un millionième
de milligramme, pourrait avoir plus d'une
tonne de descendants en 15 jours. Et au
bout d'un mois, leur masse égalerait celle...
de la planète !

L'ACCOUPLEMENT

La plus grande différence de taille dans un couple de la même espèce a été relevée chez un ver marin : la femelle peut atteindre 1 m de long, tandis que le mâle mesure... 1 ou 2 mm ! Mais, même quand les partenaires sont à peu près de la même taille, l'accouplement n'est **pas toujours un moment facile**...

La mante religieuse : l'amour à mort

LE PLUS RISQUÉ

La mante religieuse
monde entier

Très souvent, quand le mâle s'approche de la femelle, celle-ci le confond avec une proie... et lui croque la tête avant qu'il ait pu réagir ! Mais lorsque l'accouplement était déjà commencé, celui-ci se poursuit malgré tout ! Et, à la fin, la femelle dévorera le reste du corps, le faisant ainsi participer (indirectement) au développement de sa progéniture.

LE PLUS VIOLENT

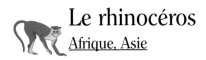

Le rhinocéros
Afrique, Asie

La femelle lance d'abord des sifflements aigus, auxquels le mâle répond par de profonds soupirs. Le couple devient nerveux et se met à trotter, à se provoquer, puis... à se charger, corne en avant !
Les préliminaires de l'accouplement du rhinocéros sont si violents que l'un des partenaires est parfois gravement blessé (surtout pour les animaux en captivité).
Au bout d'un moment, enfin, la femelle cède et se présente par l'arrière au mâle, qui la chevauchera plus d'une heure.

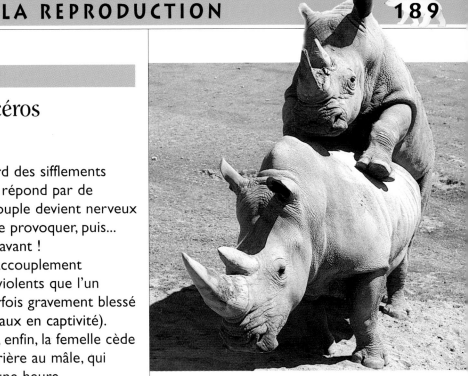

Le rhinocéros : l'amour des coups

LE PLUS LONG

Le crapaud commun
monde entier

Une fois le mâle accroché à la femelle, difficile de les séparer ; ils peuvent rester ainsi pendant parfois plusieurs jours !
Mais il ne s'agit pas d'un accouplement en continu. Par cette position, le mâle s'assure qu'il se trouvera à l'endroit où sa partenaire pondra. Dès qu'il sent les contractions, il émet du sperme pour féconder les œufs.
Une stratégie adoptée par la plupart des batraciens : certaines grenouilles pondent ainsi jusqu'à 5 000 œufs à la fois.

Le crapaud : l'amour crampon

LE PLUS LOURD

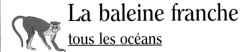

La baleine franche
tous les océans

Mâle et femelle se font la cour en bondissant et en retombant dans des gerbes d'écume, en poussant des cris déchirants...
Puis vient le face-à-face amoureux.
Mais qui est cette baleine qui tourne autour du couple ? C'est une « femelle de service », qui vient se placer contre eux pour leur servir d'appui. Alors le mâle peut introduire son sexe (jusqu'à 2,40 m de long) dans celui de la femelle. 11 mois plus tard naîtra un petit baleineau... de 2 à 4 tonnes !

La baleine franche :
l'amour à trois

LES OVIPARES

Œufs d'oiseaux, de reptiles ou de mammifères, la structure est **toujours la même**. L'embryon, baigné dans l'amnios protecteur (le blanc), grandit en se nourrissant du vitellus (le jaune). L'albatros hurleur, lui, détient le record de couvaison : jusqu'à 82 jours, avant qu'un petit bec ne brise enfin la coquille de l'intérieur. Quant aux œufs de poissons et de batraciens, **plus primitifs**, ils ne peuvent se développer que dans l'eau.

L'ornithorynque : des œufs et du lait

L'OVIPARE LE PLUS SURPRENANT

L'ornithorynque
Australie, Tasmanie

Des mammifères qui pondent des œufs ? Oui, c'est possible ! Celui-là est le plus célèbre, mais il existe aussi 2 espèces d'echnidés, sortes de gros hérissons d'Australie et de Nouvelle-Guinée.
La femelle ornithorynque pond 1 à 3 petits œufs pourvus d'une coquille molle. 10 jours plus tard éclosent les jeunes qui se mettent aussitôt à téter. Mais leur mère ne possède pas de vraies mamelles : le lait suinte à travers la peau de son ventre, imbibant ses poils que sucent les petits avec délice.

Le poisson-lune : géant ovale

L'OVIPARE LE PLUS PROLIFIQUE

Le poisson-lune
mers tropicales et subtropicales

La femelle pond jusqu'à 300 millions d'œufs (de 1,3 mm de diamètre) à chaque frai : c'est le record connu du monde animal. Mais l'adulte non plus ne manque pas d'intérêt. Son immense corps ovale peut atteindre 2 m de long et peser plus d'une tonne ! Recouvert d'une peau à consistance de cuir, le poisson-lune se nourrit de plancton à la surface, où il se laisse parfois flotter.

LE PLUS PETIT ŒUF

Le colibri
Amérique du Nord et du Sud

9 mm de long pour un poids de 0,4 g :
le plus petit des œufs d'oiseau connu
appartient à un colibri. Il en faudrait
15 douzaines pour atteindre le poids
d'un seul œuf de poule ! En Europe,
le record est détenu par le roitelet,
dont les œufs mesurent 14 mm de long
sur 11 mm de large, pèsent 0,7 g, et ne
nécessitent que 16 jours d'incubation
en moyenne.

Le colibri : 2 500 œufs au kilo !

LE PLUS GROS ŒUF

L'autruche
Afrique

Il mesure de 15 à 20 cm de long,
10 à 15 cm de diamètre, pèse jusqu'à 1,7 kg
(soit 2 douzaines d'œufs de poule). C'est
le record actuel mais, à Madagascar, on
a trouvé des œufs d'un oiseau fossile
qui mesuraient... 34 cm de long.
De couleur ivoire, la coquille
de l'œuf d'autruche est très
résistante avec ses 2 mm
d'épaisseur. Et si l'œuf met
en moyenne 50 jours
à éclore, il faut aussi 40 min
pour le faire cuire
« à la coque » !

*L'autruche :
deux douzaines en un*

LES VIVIPARES

Un animal vivipare met au monde des petits capables de mener immédiatement **une vie autonome** : c'est le cas de la plupart des mammifères, et aussi de certains reptiles et poissons. Mais, sur le chemin de l'évolution, plusieurs grandes étapes ont été employées, qui se retrouvent encore aujourd'hui !

Le wallaby : tout dans la poche !

L'opossum de Virginie : naissance express

GESTATIONS RECORDS

L'opossum de Virginie
Amérique du Nord

Ce petit animal est aussi un marsupial : pas étonnant qu'il détienne le record de la gestation la plus courte (de 12 à 13 jours, parfois seulement 8), avant de rejoindre la poche maternelle. À l'autre bout de l'échelle, la gestation de l'éléphant d'Asie dure de 650 à 660 jours. Plus étonnant encore, on a observé chez la salamandre noire des Alpes une gestation de 1 160 jours (plus de 3 ans !), mais seulement quand elle vit à plus de 1 400 m d'altitude.

LE PLUS PRIMITIF

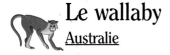

Le wallaby
Australie

Les marsupiaux sont parmi les plus anciennes familles de mammifères vivants, utilisant un développement en deux temps. Ainsi, les femelles des wallabies mettent au monde une larve minuscule (2 cm de long), incapable de survivre seule. Ce « bébé marsupial » doit d'abord, en s'aidant de ses griffes, rejoindre la poche ventrale de sa mère qui est pourvue d'une tétine. Il y poursuivra son développement pendant environ 250 jours. Ensuite seulement il pourra sortir, laissant aussitôt la place à un nouveau venu.

LE PLUS TROMPEUR

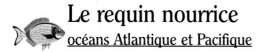

Le requin nourrice
océans Atlantique et Pacifique

C'est l'un des requins les plus prolifiques : la femelle peut avoir jusqu'à 26 petits à la fois ! Mais, en réalité, ils ne sont pas nourris par un placenta comme chez d'autres espèces

*Le requin nourrice :
des œufs... à l'intérieur*

LE PLUS PROLIFIQUE

Le tenrec sans queue
Madagascar

Ce petit insectivore couvert de piquants, qui tient à Madagascar la place de nos hérissons, a une portée moyenne de 12 à 15 petits. Mais le maximum connu est de 31, record absolu pour un mammifère ! Quant au lapin domestique, il n'a pas volé sa réputation : les 12 couples introduits en 1874 en Australie avaient en 1949 une descendance estimée à... 5 milliards d'individus !

Le tenrec sans queue : 31 d'un coup

complètement vivipares. Les embryons se développent dans des œufs autonomes, qui sont gardés jusqu'à leur éclosion à l'intérieur de la femelle. Cette méthode, appelée l'« ovoviviparité », est aussi celle de nombreux reptiles, qui assurent ainsi à leurs œufs une sécurité maximale.

LES SOINS AUX JEUNES

De nombreux animaux doivent se débrouiller seuls dès la naissance. Mais d'autres, issus en général de portées moins nombreuses, bénéficient de **soins infinis** de la part de leurs parents. La gamme des attitudes est alors très vaste, avec souvent un point commun : il n'existe pas d'animal plus dangereux qu'une mère défendant ses petits !

TRANSPORT RECORD

Le scorpion
Afrique, Asie, Amérique, Europe

La femelle du scorpion est ovovivipare : elle ne pond pas ses œufs, mais les conserve à l'intérieur de son corps jusqu'à l'éclosion.

Les jeunes scorpions grimpent ensuite sur le dos de leur mère, où ils resteront perchés pendant 3 à 4 semaines (jusqu'à leur première mue), sous la protection permanente du dard venimeux. Si l'un d'eux tombe, elle tente aussitôt de le ramasser : pas question de l'abandonner !

Le scorpion : transport en commun

Le coucou gris : sans nid fixe

SANS-GÊNE RECORD

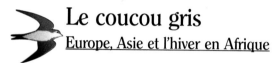

Le coucou gris
Europe, Asie et l'hiver en Afrique

Sa réputation de parasite n'est plus à faire : la femelle pond en général un œuf à la fois... dans le nid d'une autre espèce à l'incubation plus lente. Ainsi, né en premier, le jeune coucou commencera par pousser quelques-uns des autres œufs hors du nid, avant de se laisser nourrir par ses « parents adoptifs » dont l'instinct les empêche de refuser. Plus fort encore : une fois devenu adulte, le coucou choisira de préférence de pondre ses œufs... dans les nids de l'espèce qui l'aura élevé !

PARTAGE RECORD

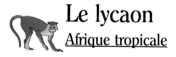

Le lycaon
Afrique tropicale

Rares sont les mammifères acceptant d'allaiter d'autres petits que les leurs. La lionne le fait parfois. Certaines chauves-souris aussi, ainsi que le lycaon, bien qu'il y ait rarement plus d'une femelle reproductrice dans la meute qui compte de 6 à 20 individus. Mais la spécialité du lycaon va encore plus loin : les adultes rentrant de chasse régurgitent de la viande prédigérée pour les jeunes, les vieux et les éclopés.

Le poisson cichlidé : bouche cousue

ABRI RECORD

Le poisson cichlidé
Afrique

Pour protéger leur progéniture, ces poissons d'eau douce utilisent une stratégie réclamant beaucoup de maîtrise. D'abord, les œufs sont incubés... à l'intérieur de la bouche de l'adulte, qui ne peut plus se nourrir jusqu'à leur éclosion. Ensuite, les alevins nagent librement au-dehors, mais à la moindre alerte les mâchoires parentales s'écartent, et tous foncent à l'abri.

Le lycaon : l'esprit de groupe

LA MÉTAMORPHOSE

Tous les animaux changent de forme en devenant adultes. Mais certains d'entre eux, surtout parmi les invertébrés et les amphibiens, subissent en grandissant **des changements** plus importants encore. Cela peut être progressif, ou bien alors très brusque, offrant par la « magie » de la métamorphose l'occasion de naître... une seconde fois !

Le papillon :
deux vies en une

LA PLUS COMPLÈTE

Le papillon
monde entier

On appelle métamorphose « complète » la modification totale de la forme du corps. Le papillon en est l'exemple roi, mais c'est aussi le cas des mouches, des coléoptères, des guêpes. L'animal sortant de l'œuf est une larve (la chenille), qui mène quelque temps une vie autonome, puis cesse un jour de manger pour se transformer en une nymphe immobile. Alors, la plupart de ses cellules sont détruites, tandis que d'autres se divisent pour former un nouveau corps d'adulte (appelé imago), déchirant ensuite la vieille enveloppe pour déployer ses ailes.

LA PLUS PRIMITIVE

La grenouille
monde entier

D'abord, c'est un minuscule têtard, muni d'une longue queue et respirant par des branchies... Puis il développe de vrais poumons, tandis que des petites pattes apparaissent... Enfin, sa queue disparaît complètement, ses pattes grandissent, et voici une grenouille. Incroyable : en quelques semaines, cet animal vient de revivre toutes les étapes de l'évolution qui a permis à ses ancêtres, il y a 350 millions d'années, de s'aventurer pour la première fois sur la terre ferme !

La grenouille : de l'eau à la terre

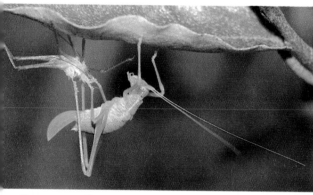

La sauterelle : un modèle, six tailles

LA PLUS SIMPLE

La sauterelle
monde entier

La métamorphose « incomplète » est une modification progressive de la forme du corps. Ainsi, lorsque la larve de la sauterelle sort de l'œuf, elle ressemble à un adulte en miniature, sauf qu'il lui manque souvent les ailes. Il lui faudra ensuite passer par cinq mues successives, au cours desquelles elle se débarrassera de son exosquelette devenu trop serré. Ici, on voit une sauterelle venant de muer, à côté de sa vieille enveloppe.

LA PLUS MULTIPLE

La balane
tous les océans

Banale, la balane ? Il est vrai qu'elle est plutôt discrète, fixée sur son rocher. Mais ce petit crustacé a une histoire extraordinaire derrière lui. Il a commencé par être un nauplius, petite larve avec un œil et trois paires de pattes faisant partie du plancton. Puis il est devenu un cypris, larve arrondie, avant de développer enfin sa carapace dure. On appelle « hypermétamorphose » ce mode de développement chez des animaux connaissant plusieurs formes larvaires successives.

La balane : formes en stock

LA LONGÉVITÉ

Difficile ici d'établir
des records absolus, car l'âge
des animaux en liberté
est difficilement mesurable.
Par contre ceux qui sont
en captivité vivent souvent
bien plus vieux que
la moyenne de leur espèce.
En revanche, une chose est
sûre : l'homme est le seul
mammifère à pouvoir
atteindre **120 ans**,
loin devant l'éléphant
d'Asie (81 ans)
et la vache
(78 ans)...

LE PLUS VIEIL OISEAU

Le grand corbeau
monde entier

Cet oiseau omnivore, très intelligent, partage
avec l'albatros hurleur le record de
longévité. Dans la nature, certains individus
ont atteint les 80 ans (pour une durée
de vie moyenne de 60 ans). Le record
en captivité, lui, est détenu par un condor
des Andes, qui a fêté au zoo d'Alger
ses 100 ans
en 1991 !

*Le grand corbeau :
record en liberté*

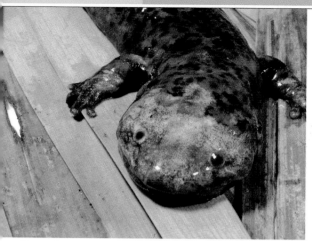

La salamandre géante : dans les rivières

L'esturgeon : victime des hommes

LE PLUS VIEIL AMPHIBIEN

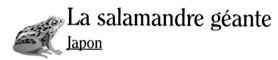

La salamandre géante
Japon

On la rencontre dans les cours d'eau rapides et bien oxygénés, où elle se nourrit surtout de poissons. Une salamandre géante capturée adulte et observée en captivité a vécu 53 ans, soit une longévité totale d'environ 60 ans. Presque le double du crapaud commun, le deuxième de la liste, qui n'atteint que 36 ans...

LE PLUS VIEUX POISSON

L'esturgeon
Europe

L'esturgeon français pourrait normalement vivre plus de 80 ans, et atteindre 6 m de long pour un poids de 400 kg. Mais aujourd'hui, rares sont ceux qui parviennent à dépasser les 2 m de long. Car ce poisson a été surpêché par les hommes : ses œufs (la femelle peut en porter jusqu'à 3 millions) constituent l'un des plus fameux « caviars »... Quant à la carpe koi du Japon, si sa longévité est estimée en moyenne à 50 ans, certains affirment avoir observé un spécimen de... 228 ans !

LE PLUS VIEUX REPTILE

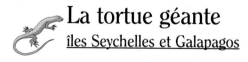

La tortue géante
îles Seychelles et Galapagos

155 ans : c'est l'âge atteint par une tortue, morte en 1918, qui avait été amenée toute petite à l'île Maurice par un naturaliste français en... 1766 ! Les tortues géantes (il en reste une espèce dans l'île d'Aldabra et plusieurs espèces proches aux Galapagos) détiendraient le record connu de longévité du monde animal. Leur croissance très lente se poursuit tout au long de leur existence : certaines finissent ainsi par atteindre 180 kg, pour une longueur d'1,25 m !

La tortue géante : record absolu

LE VOYAGE

Le mouvement, c'est **la vie** : de nombreux animaux se déplacent d'un habitat à un autre au cours de leur existence. Certains sont de perpétuels nomades, d'autres effectuent de longues migrations saisonnières à la recherche de climats plus cléments. Mais alors, pourquoi retournent-ils ensuite vers leur froidure ou leur désert ? Parce que là-bas (ou là-haut), il y a plus d'espace et moins de concurrence...

Amérique du Nord

Améric du S

VOL FRAGILE

Superbe, ce vol de flamants roses au-dessus du Kenya. Mais, pour tous les oiseaux, la migration est aussi un moment où ils sont très vulnérables...

QUELQUES GRANDS VOYAGEURS

Site de reproduction

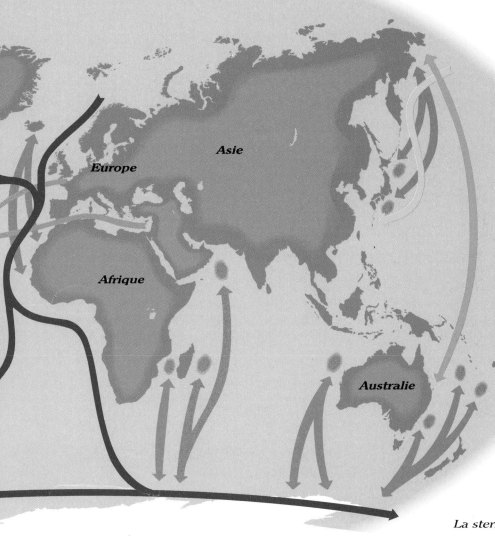

Europe

Asie

Afrique

Australie

La baleine

L'anguille

La sterne arctique

Le papillon monarque

L'otarie

Le puffin à bec grêle

PETITE PLANÈTE

À chaque instant, des millions d'animaux voyagent à travers le monde. Pour se guider, certains sont sensibles aux variations du champ magnétique, d'autres possèdent un odorat très fin, parfois un « sixième sens » mystérieux... Nos connaissances des migrations animales, en vérité, sont même aujourd'hui souvent limitées : de quoi passionner encore plusieurs générations de scientifiques !

LES MIGRATEURS AÉRIENS

En Europe, les hirondelles nous annoncent le printemps, tandis qu'en Amérique du Nord ce sont les oies sauvages... Mais si les oiseaux sont **les rois des voyageurs** de l'air, ils ne sont pas les seuls. Sans parler des nombreux insectes qui forment un véritable « plancton aérien » autour du globe : ainsi, certaines petites araignées emportées par le vent se retrouvent jusqu'au sommet des montagnes...

Le monarque : vol de nuit

L'OISEAU LE PLUS CÉLÈBRE

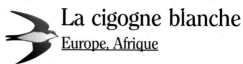 La cigogne blanche
Europe, Afrique

10 000 à 12 000 km : c'est le voyage accompli chaque année par la cigogne blanche, depuis les grands lacs africains où elle passe l'hiver, jusqu'en Europe du Nord (et retour !). En Alsace, où elle fait partie du folklore, on peut admirer ses nids construits sur les cheminées des maisons. Le mâle le renforce et l'agrandit chaque année, et certains nids au fil des ans, peuvent atteindre 2 m de diamètre et peser 50 kg !

La cigogne blanche : reine d'Alsace

PAPILLON RECORD

Le monarque
Amérique

C'est le plus spectaculaire des papillons migrateurs : passant l'été dans la région des Grands Lacs d'Amérique du Nord, il s'y reproduit à l'automne et ses descendants se dirigent vers la Californie et le Mexique. Les monarques voyagent surtout la nuit, en profitant du vent qui les pousse. Puis, parvenus au bout des 2 000 à 2 500 km du voyage, ils se rassemblent sur des arbres qu'ils recouvrent entièrement. En Europe, nous recevons même souvent la visite de papillons africains et parfois malgaches !

OISEAU RECORD

La sterne arctique
Europe, Asie, Amérique

Les oiseaux de mer sont ceux qui entreprennent les plus grands voyages : leur habitat couvre des territoires immenses.

VACANCES D'ÉTÉ

De nombreuses chauve-souris se déplacent au fil des saisons pour chercher leur nourriture, mais seules quelques espèces peuvent couvrir de grandes distances. Le record serait détenu par la chauve-souris cendrée : passant l'été au Canada, elle s'envole à la mi-août vers Hawaï ou les Galapagos, franchissant ainsi plus de 2 000 km en volant de nuit. On pense que les chauves-souris, pour s'orienter sur de grandes distances, utilisent surtout leur mémoire visuelle, plus utile ici que leur « sonar » naturel...

Parmi eux, la sterne arctique migre chaque année de l'Arctique vers l'Antarctique (à la limite de la banquise) pour revenir à son point de départ, ce qui représente un trajet aller-retour de près de... 36 000 km ! Passant ainsi de l'été boréal à l'été austral elle bénéficie de plus de lumière du jour qu'aucun autre oiseau au monde.

La sterne arctique : autour du globe

LES MIGRATEURS AQUATIQUES

Rivières, fleuves, océans sont par définition des **milieux mouvants**. Pas étonnant donc que les animaux aquatiques parcourent souvent plus de distance que les terrestres... Voici parmi eux les plus célèbres « records », dont l'ampleur et la précision défient parfois l'imagination.

MARCHE RECORD

La langouste
mers chaudes et tempérées

C'est une migration discrète et peu connue. Pourtant, certaines espèces de langoustes effectuent de vrais voyages à la recherche d'eaux plus chaudes. Elles s'organisent en colonnes comptant jusqu'à 60 individus, chacune collée à l'abdomen de la précédente. Marchant jour et nuit sans repos, pendant parfois plusieurs semaines, elles peuvent atteindre... I km/h !
Et au moindre danger, la colonne s'enroule en un cercle hostile, hérissé d'antennes piquantes.

La langouste :
à la queue leu leu

NAGE RECORD

Le thon
tous les océans

Tous les thons se déplacent en permanence au large des côtes. Mais seuls les plus gros semblent effectuer de vraies migrations régulières. Ainsi, le thon à nageoires bleues (jusqu'à 2,50 m de long et 300 kg) se reproduit en Méditerranée, et monte se nourrir dans l'Atlantique Nord. Le thon albacore, lui, est capable de parcourir près de 9 000 km en 11 mois, des côtes du Japon jusqu'à celles de Californie.

*Le thon :
roi du grand large*

FLAIR RECORD

L'anguille d'eau douce
Europe, Amérique, océan Atlantique

Le premier voyage est effectué par la larve : née dans la mer des Sargasses, elle met 3 ou 4 ans à parvenir jusqu'aux rivières d'Europe. 20 ans plus tard, l'adulte refera le voyage à l'envers, allant se reproduire à l'endroit exact de sa naissance. Pour se diriger, on pense qu'elle utilise surtout l'odorat : des expériences ont prouvé que l'anguille peut déceler des substances chimiques diluées à... une partie pour trois milliards de millions !

L'anguille d'eau douce : aller-retour

Le saumon : retour à la source

SAUT RECORD

Le saumon
Europe, États-Unis, Canada
Atlantique Nord

À l'inverse des anguilles, les saumons naissent dans les rivières, puis gagnent la mer pour y grandir pendant 3 ou 4 ans, jusqu'à ce qu'ils soient en âge de se reproduire. Alors, ils retournent à leur rivière d'origine, nageant jusqu'à 3 000 km (à 60 km/h au maximum) sans manger. Prodigieux sauteurs, ils sont capables de remonter des chutes d'eau de plusieurs mètres de haut... Mais pas les barrages des hommes, dont quelques-uns commencent heureusement à être équipés d'« échelles » spéciales !

LES MIGRATEURS TERRESTRES

Les habitants des forêts tropicales bougent peu : à quoi bon se déplacer quand on a tout sur place ? C'est pourquoi les grandes migrations terrestres ont lieu dans les savanes, les steppes et les toundras, en relation étroite avec le cycle des **précipitations**. Parmi de nombreuses autres, voici trois espèces détenant les « records » les plus spectaculaires.

Le gnou : nuages de poussière

Le caribou : nomade perpétuel

Le caribou
Amérique

Suivie par satellite, une femelle a parcouru 5 055 km en un an : c'est le record connu pour un mammifère terrestre. Mais, si le nomadisme est une règle de vie pour ces cousins des rennes d'Europe, le grand moment de l'année se situe au printemps, quand les hardes de femelles quittent les forêts boréales pour aller mettre bas dans les herbages de la toundra. Le voyage dure plusieurs semaines, à raison de 30 km par jour en moyenne, entrecoupé de fréquentes pauses pour brouter du lichen. Les mâles, eux, voyagent de leur côté en attendant de les rejoindre à l'automne...

*Le lemming :
suicide ou pas ?*

RECORD D'AFRIQUE

Le gnou
Afrique

3 000 km : c'est la longueur du trajet circulaire qu'effectue chaque année cette espèce d'antilope en Tanzanie et au Kenya. Le spectacle est grandiose : quittant les forêts d'acacias qui leur servent de refuge pendant la saison sèche, les gnous s'élancent en masse (souvent accompagnés de zèbres), en soulevant des nuages de poussière, vers les plaines herbeuses du Serengeti. Ils n'hésitent pas à risquer leur vie en traversant les cours d'eau, dont la fameuse rivière Mara. Leur itinéraire ne varie guère, et des fossiles ont prouvé que cela dure depuis au moins... I million d'années !

RECORD D'EUROPE

Le lemming
Europe

Ce petit rongeur de la toundra arctique effectue normalement de courtes migrations au gré des saisons. Mais, tous les 32 ou 36 ans, se produit une surpopulation extraordinaire. C'est alors par millions que les lemmings affolés se mettent en route droit devant eux. On a même pu croire à des « suicides collectifs », car les animaux acculés au bord de l'eau tombent dedans, et 99 % d'entre eux se noient... Ceux qui restent assureront le maintien de la colonie et un nouveau cycle recommencera. Avis aux curieux : on prévoit le prochain phénomène pour 2002 !

LA MULTITUDE

En Amérique du Nord, en 1901, une colonie de 400 millions de chiens de prairie s'étendait sur 60 000 km², l'équivalent de dix départements français. En Afrique du Sud, au 19e siècle, vivaient des troupeaux de 10 millions d'antilopes springboks... Aujourd'hui, ces immenses rassemblements ont disparu, éliminés par l'homme. Mais d'autres sont toujours bien vivants, parfois...
pour notre malheur !

Le criquet pèlerin : fléau biblique

MAMMIFÈRE RECORD

La tadaride
Amérique

On l'appelle aussi « molosse » à cause de la forme de son museau. Cette petite chauve-souris forme les plus grandes colonies connues chez les mammifères. Après leur migration annuelle, pour élever leurs jeunes, les tadarides se regroupent dans des grottes pouvant abriter, comme on l'a estimé au Texas, jusqu'à... 20 millions d'individus ! Au crépuscule, quand elles sortent en rangs serrés, on croirait voir de loin la fumée d'un volcan.

La tadaride : fumée noire

INSECTE RECORD

Le criquet pèlerin
Afrique, Moyen-Orient, Inde

40 milliards d'insectes pour un poids de 80 000 tonnes : c'est le nombre estimé à l'intérieur d'un seul « nuage » observé en 1958 en Éthiopie, sur près de 1 000 km². Pour calculer les dégâts, il suffit de savoir que chacun peut absorber son propre poids de nourriture chaque jour...
Les criquets peuvent parcourir sans escale jusqu'à 2 000 km à une vitesse moyenne comprise entre 16 et 19 km/h ; en octobre 1988, poussé par les vents à partir de l'Afrique, un essaim a même réussi à atteindre les Antilles, totalisant 5 000 km en 5 jours, une première mondiale.

Le quelea à bec rouge : maudites volées

OISEAU RECORD

Le quelea à bec rouge
Afrique

On le surnomme le « criquet à plumes » : c'est dire la réputation de ce petit tisserin qui peuple les régions sèches au sud du Sahara. Ce sont en effet des volées de 10 à plus de 30 millions d'oiseaux qui s'abattent parfois sur les cultures, causant des ravages. On estime la population totale du quelea à plus d'1,5 milliard d'individus, et l'espèce est très prolifique.

CRUSTACÉ RECORD

Le krill
mers froides

Le plus gros rassemblement de crustacés jamais observé était un amas de krill dans l'Atlantique Nord qui devait peser...
10 millions de tonnes, soit le poids de 750 paquebots de 300 m de long ! Chiffre encore plus impressionnant quand on sait que ces petits animaux planctoniques à demi translucides, qui ressemblent à des crevettes, mesurent en moyenne 3 cm de long pour un poids de 2 g. Ils forment des amas si compacts qu'une baleine à fanons peut en engloutir 3 tonnes d'un coup.

Le krill : à la tonne

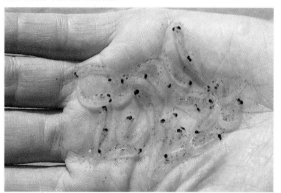

LES ANIMAUX DOMESTIQUES

Le premier animal domestiqué aurait été une oie cendrée, il y a 10 000 ans. Depuis, à force de sélections et de croisements au sein des mêmes espèces, l'homme est arrivé à créer quantité de races et de variétés en fonction du but recherché. Aujourd'hui, rien qu'en France, ils sont **38 millions** d'animaux familiers à nous prodiguer leur amitié fidèle. Sans oublier les autres, qui nous habillent... et nous nourrissent !

CHIHUAHUA

RECORD DE BEAUTÉ

Pour qu'une race soit reconnue, elle doit être fixée sur plusieurs générations et définie par des standards très stricts. Mais il ne suffit pas d'être bien né ! Chaque animal, avant de se voir décerner son « pedigree » officiel, doit d'abord subir un examen de la part d'experts aux jugements sans appel. Il faut voir par exemple ces juges, lors des expositions félines, sortir chaque animal de sa cage, le palper sous toutes les coutures, avant de se désinfecter soigneusement les mains et d'attribuer une note.

CHIMÈRE VIVANTE

Ce « tigron » est issu du croisement
(en captivité) d'un tigre avec une lionne.
De tels individus, obtenus par l'homme,
sont presque toujours stériles. S'agissant
d'animaux sauvages, on peut critiquer
leur utilité. Mais du côté des animaux
domestiques, cela fait des siècles que
le robuste mulet s'obtient... en croisant
un âne avec une jument !

SHIRE

MAINE COON

SOMMAIRE

LES CHATS

Aujourd'hui, rien qu'en France, on estime à plus de 6 millions la population féline : un foyer sur cinq possède un chat. Tous appartiennent à la même espèce appelée *Felis catus*, mais il en existe aujourd'hui environ **60 races** différentes, dont beaucoup furent créées... au 20e siècle !

LE PLUS GRAND

Le Maine coon
États-Unis

La légende voudrait qu'il soit croisé avec un raton laveur (racoon) ! En réalité, cette race connue depuis 3 siècles dans les fermes des États-Unis descendrait d'un croisement avec un angora inconnu. Le Maine Coon est le plus grand des chats : le mâle peut peser jusqu'à 14 kg ! Musclé, adapté aux climats rudes, il possède un corps allongé avec une tête relativement petite, et des poils entre les doigts pour prendre appui sur la glace. Quant au plus lourd chat jamais pesé, c'était un matou castré qui affichait... 21 kg !

LE PLUS ÉTRANGE

Le sphinx
Canada

Au Canada, en 1964, est apparu dans la portée d'une femelle noir et blanc un chat complètement nu ! Les éleveurs qui ont fixé la race l'ont appelée « sphinx », parce qu'il se tient souvent debout, une patte levée. On aime ou on crie au scandale... Câlin et possessif, ce chat apprécie la compagnie humaine. Quand il est content, il remue la queue comme un chien. Mais attention : sa peau craint les coups de soleil !

Le sphinx : chat qui bronze !

Le Maine coon : géant du froid

Le manx : cherchez la queue

LE PLUS COURT

Le manx
île de Man

Le plus petit chat serait le gouttière de Singapour, dont les femelles pèsent en moyenne 1,8 kg. Mais voici le plus « court » de tous ! Le manx, dit une légende, grimpa le dernier dans l'arche de Noé, et la porte se referma sur sa queue. Pour les scientifiques, c'est plutôt une mutation due à la consanguinité, sur cette petite île entre l'Angleterre et l'Irlande. Affectueux et

Le gouttière : prince de la rue

LE PLUS RÉPANDU

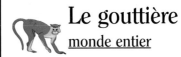

Le gouttière
monde entier

Il représente à lui seul 90 % de la population féline ! Quant à ses origines, ce sont celles de l'espèce tout entière, puisqu'il est le résultat d'un mélange de toutes les races, à toutes les époques et partout. Il peut donc adopter toutes les morphologies, toutes les longueurs de poil et toutes les couleurs. Lui qui n'a aucune valeur marchande se moque bien d'avoir des « défauts ». Sa vengeance est subtile : les plus beaux gouttières sont souvent utilisés par les éleveurs pour améliorer certaines races « nobles ».

intelligent, le manx possède aussi des pattes arrière plus longues et une fourrure double, moelleuse comme celle d'un lapin.
Il demeure pourtant assez rare, car ses portées réduites comportent souvent des animaux mal formés.

LES CHIENS

Dans un foyer sur trois en France, il aboie quand on sonne à la porte : le chien, pour beaucoup d'entre nous, est **le meilleur ami** de l'homme. Il en existe environ 300 races dans le monde, aux canons strictement définis par les sociétés canines. Avec parfois de gros intérêts en jeu. Certains chiens de course peuvent se vendre dans les 400 000 F !

LE PLUS PETIT

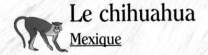

Le chihuahua
Mexique

Il partage en réalité le record avec deux autres races : le yorkshire nain et le caniche toy. Tous peuvent peser moins de 500 g, le plus petit jamais connu ayant été un yorkshire qui pesait... 113 g, pour 6,3 cm de haut et 9,5 cm de long ! Mais pour un chihuahua ordinaire, mieux vaut compter en moyenne 1,5 kg et 20 cm de long. C'est un chien courageux et robuste, à ne surtout pas traiter comme un bibelot fragile. Sa seule crainte ? Qu'on lui marche dessus, ce qu'il essaye de prévenir en aboyant.

LE PLUS LOURD

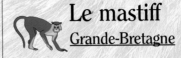

Le mastiff
Grande-Bretagne

Le saint-bernard peut mesurer 1 m au garrot pour un poids de 140 kg. Le mastiff anglais, lui, s'il n'atteint que 95 cm, pèse jusqu'à... 160 kg ! Mais sa moyenne tourne plutôt autour de 80-85 kg, ce qui est déjà lourd à porter : un mastiff ne vit guère plus de 10 ans. Ce molosse fut longtemps utilisé pour la guerre ou les jeux du cirque, et s'il a l'air plutôt sympathique, s'il est doux avec ses maîtres, gare quand même aux inconnus trop audacieux...

Le mastiff : molosse massif

Le chihuahua : chien de poche

Le greyhound : corps de foudre

LE PLUS RAPIDE

Le greyhound
<u>monde entier</u>

Un berger allemand a sauté 3,55 m en hauteur ; un lévrier plus de 9 m en longueur... Le greyhound, lui, est le plus rapide de tous les animaux domestiques. Il peut atteindre les 80 km/h en vitesse de pointe ; sur un cynodrome, le record sur 480 m a été de 28 s 44/100, soit 61 km/h de moyenne. Mais ce pur-sang est un sprinter, pas un coureur de fond. Le record d'endurance, lui, est détenu par un attelage de chiens de traîneau qui lors d'une course en Alaska ont parcouru 1 680 km en 11 jours !

Il devient adulte en 30 mois, fabriquant autant d'os et de muscles qu'un humain en 20 ans. Et s'il pose facilement ses pattes sur les épaules d'un homme debout, pas de panique : c'est un chien affectueux et loyal. Capable quand même, aux États-Unis, de chasser loups et coyotes.

L'irish wolfhound : chasseur de loups

LE PLUS GRAND

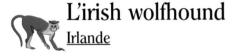

L'irish wolfhound
<u>Irlande</u>

Il partage le record avec le dogue allemand : tous deux peuvent atteindre 1,05 m au garrot (au sommet de l'omoplate), soit 1,40 m de hauteur totale (au-dessus de la tête). Mais les dimensions moyennes de l'irish wolfhound sont plutôt de 90 cm et 1,20 m.

LES CHEVAUX

Il y a aujourd'hui en France environ 180 000 chevaux de course ou de selle, contre moins de 100 000 chevaux de trait. Mais le cheval n'a pas toujours été surtout un **compagnon de loisir** ou de sport : en 1931, en France, on recensait encore 3 millions de chevaux de trait ! Certaines races « lourdes », depuis, ont même failli disparaître pour de bon.

Le shire : géant élégant

LE PLUS PETIT

Le falabella
Argentine

Au début du siècle fut découvert en Argentine un groupe de chevaux de petite taille. Les éleveurs locaux commencèrent alors à faire se croiser les plus petits entre eux... Aujourd'hui, le falabella mesure 70 cm au maximum au garrot (la taille d'un gros chien), pour un poids d'environ 40 kg. Le record absolu jamais enregistré ayant même été de 36 cm au garrot, et... moins de 10 kg ! Intelligent et amical, c'est un cheval de compagnie très résistant, qui peut vivre très vieux.

Le falabella : mini-ami

Le pur-sang : star choyée

LE PLUS GRAND

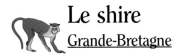

Le shire
Grande-Bretagne

Le plus grand cheval jamais mesuré mourut en 1948 à l'âge de 20 ans. Ce brabançon mesurait 2,19 m au garrot et pesait 1 450 kg. Mais le record de la plus grande race appartient au shire, dont la taille dépasse souvent 1,80 m au garrot, et qui pèse jusqu'à 1 tonne. Cheval de travail, employé encore dans les brasseries anglaises, il peut tirer jusqu'à 5 tonnes. Sans perdre bien sûr son allure distinguée, due en partie à ses sabots recouverts par des « guêtres » de longs poils fins.

LE PLUS RAPIDE

Le pur-sang
monde entier

Stimulé par son jockey, il peut atteindre 69 km/h en vitesse de pointe. Le pur-sang est aujourd'hui élevé dans les haras du monde entier. Mais c'est en Angleterre, au 18e siècle, que fut créée la race, et chaque pur-sang descend forcément d'un des grands ancêtres : Darley Arabian, Godolphin Arabian et Bayerley Turk, trois étalons arabes croisés à l'époque avec des juments de course anglaises. Un vrai « crack » peut valoir... des millions de francs !

LE PLUS ANCIEN

Le cheval de Przewalski
Asie

On connaît au cheval domestique deux grands ancêtres : le tarpan, disparu en Pologne au 18e siècle, et le cheval de Przewalski, découvert en 1879 dans les steppes de Mongolie. Une dizaine de chevaux furent alors capturés pour des zoos, où ils se sont reproduits. Heureusement, car le dernier cheval de Przewalski en liberté a été observé dans les années 1970 ! Petit et trapu, il possède une tête lourde, une crinière fine et droite. Exactement comme les chevaux figurés sur les parois des cavernes...

Le cheval de Przewalski : cheval des cavernes

*Le large white :
gros bébé*

LE BÉTAIL

Ici, toutes les races sont
mesurées, croisées,
améliorées... dans l'unique
but de **produire plus
et mieux**. Un aurochs
(l'ancêtre probable du bœuf
domestique) n'y reconnaîtrait
plus ses petits, devenus
de vraies « bêtes à viande » !
Tout ça pour nous,
consommateurs, qui
mangeons en France
plus de 110 kg de viande
par personne et par an
(contre 30 kg en 1900).

PORC RECORD

Le large white
<u>monde entier</u>

Parmi 11 millions de porcs élevés en France,
c'est la race la plus répandue, appréciée
pour sa croissance très rapide. Le porcelet,
qui pèse 1,5 kg à la naissance, atteint 100 kg
à 6 mois (en ayant absorbé 320 kg de
nourriture). Hélas pour lui, il n'ira en général
pas plus loin... À l'âge adulte, pourtant,
il aurait pu atteindre 500 kg, contre 400 kg
pour la truie. Le record absolu, lui, serait
détenu par un porc (châtré) de races
croisées européenne et chinoise, qui aurait
atteint... 1 150 kg !

BŒUF RECORD

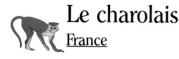

Le charolais
France

Le bœuf le plus gros du monde, aux États-Unis, mesurait 1,88 m au garrot et fut pesé à plus de 2 t. Mais un autre individu de cette même race (Holstein-Durham) aurait atteint... 2 200 kg ! Le charolais français, lui, se contente de régner en son pays. Son veau, à la naissance, pèse déjà 60 kg (contre 20 kg pour le plus petit, de race bretonne pie noire). À 12 mois, châtré, il pèse 520 kg, puis 650 kg à 18 mois, 750 kg à 30 mois... Et environ 800 kg quand il est abattu à l'âge de 3 ans, fournissant une viande d'une grande qualité.

VACHE RECORD

La hollandaise
monde entier

Parmi toutes les vaches, la hollandaise est celle qui donne le plus de lait : 4 000 à 5 000 l par an, contre 3 500 pour une flamande. Mais le lait de cette dernière contient plus de matières grasses : il n'en faut que 25 l pour faire 1 kg de beurre, contre 27 ou 28 l pour la hollandaise. Le record absolu de production en un jour, quant à lui, est de 90 l de lait !

Le charolais : bien de chez nous

La hollandaise : au bon beurre

MOUTON RECORD

Le suffolk
monde entier

À l'âge de 70 jours, il pèse déjà 29 kg, contre 19 kg pour un mérinos, la race la plus célèbre en France. Une fois adulte, le bélier suffolk atteint en moyenne 130 kg. Mais lorsqu'il a été castré (devenant ainsi un mouton), son poids s'accroît encore davantage. Le record absolu, chez un mouton qui mesurait près de 1,10 m au garrot, est de 245 kg. À l'opposé, la plus petite race est le soay, en Écosse, dont le mouton adulte pèse 25 kg, soit... 10 fois moins !

Le suffolk : bélier ou mouton ?

LA BASSE-COUR

115 millions de poulets, 50 millions de poules pondeuses, 25 millions de dindes, 15 millions de canards...
C'est le chiffre estimé des volailles en France, le plus souvent, hélas, élevées en « batteries » industrielles.
À ces races-là, les éleveurs ne demandent alors que deux performances : **grandir vite**, et **tous à la même taille**.

LA PLUS GROSSE VOLAILLE

La dinde
monde entier

Originaire d'Amérique, introduit en France au 16e siècle, c'est le plus grand des oiseaux de basse-cour. Le dindon, en réalité, est plus gros que sa femelle : le record connu est de 39 kg, contre « seulement » 36 kg pour une dinde qui s'est vendue... 34 000 F en 1986 ! Mais la plus grosse race couramment élevée en France, le dindon noir de Sologne, se contente d'atteindre 12 kg au maximum, ce qui n'est déjà pas si mal. Le record du plus gros œuf, lui, est détenu par l'oie, avec un poids de... 680 g !

La dinde : drôle d'oiseau

LE PLUS GROS LAPIN

Le géant des Flandres
monde entier

C'est le plus gros des lapins domestiques : il dépasse souvent les 8 kg (contre 5 kg pour un lièvre brun), et peut exceptionnellement peser 11 kg. D'un bout à l'autre de ses pattes étendues, il dépasse parfois les 90 cm de long. Certaines races de « lapins nains », à l'opposé, pèsent aujourd'hui moins de... 500 g ! Quant aux « lapins à oreilles pendantes », à force de croisements, ceux-ci peuvent se retrouver affublés d'oreilles de 60 cm de long sur 15 cm de large. Il y en a qui trouvent cela très amusant...

Le géant des Flandres : roi du clapier

LE CANARD LE PLUS RÉPANDU

Le canard de Barbarie
monde entier

Appelé aussi « canard musqué », cette race est originaire d'Amérique du Sud, puis elle fut introduite en Afrique par les négriers, avant de se répandre en Europe. C'est une des rares espèces de canard domestique à ne pas avoir besoin (même s'il adore ça !) de barboter dans l'eau pour se développer, ce qui permet un élevage plus facile. En France, à lui seul, le canard de Barbarie représente 75 % des canards d'élevage !

Le canard de Barbarie : un long voyage !

UN COQ COSTAUD

Le poulet white-sully a été développé aux États-Unis, en faisant se croiser des poulets rhode-island avec plusieurs autres races. Le plus grand coq pesait 10,5 kg, et mesurait au garrot plus de... 60 cm ! Quant aux poules pondeuses, si leur production moyenne est de 270 œufs par an, le record connu de 365 œufs a été obtenu dans le cadre d'une expérience scientifique.

L'ANIMAL ET L'HOMME

L'homme ? **Un super-animal** doté d'un cerveau unique. Mais un animal quand même, et notre espèce n'échappe pas aux dures réalités de la nature : quelques animaux peuvent nous tuer, d'autres se contentent de profiter de nous. L'immense majorité d'entre eux, en revanche, ne nous veut aucun mal. Ce qui ne les empêche pas, de leur côté, d'être souvent menacés par l'homme...

GÂCHIS RECORD

Un garde kenyan pose devant quelques trophées saisis aux braconniers. Malgré les conventions internationales, des trafics illégaux se poursuivent dans de nombreux pays. En Afrique, pour le symbole, des militaires ont brûlé récemment devant les caméras plusieurs centaines de défenses d'éléphants saisies. L'image a fait le tour du monde, mais on assassinait encore 100 000 éléphants chaque année à la fin des années 80. En 1989, heureusement, l'animal a été inscrit à l'annexe I de la CITES, lui assurant, en théorie, une protection totale.

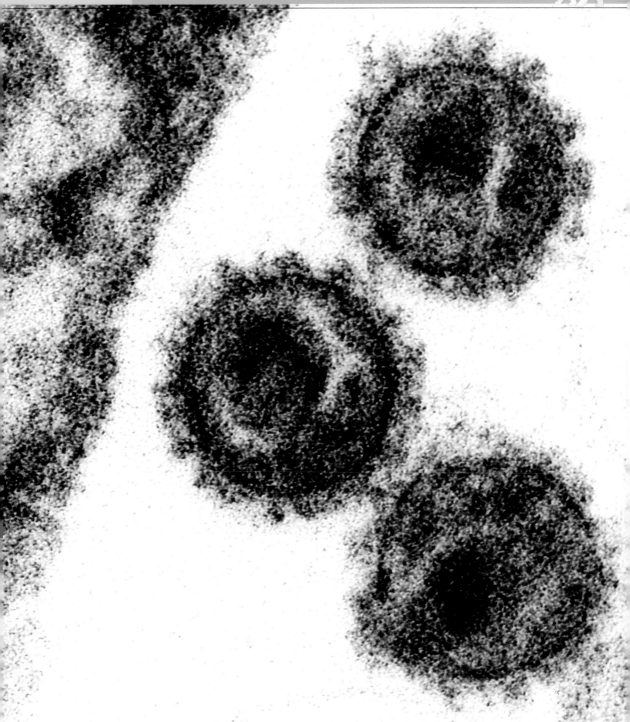

VIRUS RECORD

Cette silhouette, hélas, nous est familière. Le virus du SIDA est un assemblage de composés chimiques qui ne peut se reproduire (en faisant des copies de lui-même) qu'en infectant une cellule vivante. Pour survivre, il lui faut détruire...

LES DANGEREUX

Voici le clan des **redoutables** : directement ou pas, ces animaux-là ont parfois tué des millions de personnes. En mémoire des victimes, saluons au passage ce scientifique chilien qui vient peut-être de découvrir un vaccin contre le paludisme, et a fourni gratuitement la formule à tous les laboratoires.

Le rat noir : passager clandestin

MAMMIFÈRE RECORD

Le rat noir
monde entier

Probablement venu d'Asie, ce commensal de l'homme préfère les lieux secs : charpentes, greniers... ou cales des navires, grâce auxquels il s'est répandu dans le monde entier. Le problème, c'est qu'il héberge des puces et des poux sur le dos, porteuses elles-mêmes de redoutables parasites et virus : peste, typhus parfois... Le triste « record » à son actif fut l'épidémie de peste noire qui frappa l'Europe entre 1347 et 1352 : 25 millions de personnes y laissèrent la vie.

INSECTE RECORD

Le moustique
monde entier

200 millions de personnes seraient victimes chaque année du paludisme, pour au moins 5 millions de morts. Le responsable ? L'une ou l'autre des 80 espèces de moustiques vecteurs de cette maladie (sur un total de 400). La femelle, en piquant l'homme pour sucer son sang, lui inocule en même temps de la salive contenant les microparasites redoutés. Certains scientifiques pensent même que le moustique serait responsable de... la moitié des décès par maladie depuis l'âge de pierre !

Le moustique : piqûre fatale

POISSON RECORD

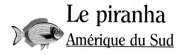

Le piranha
Amérique du Sud

Le plus grand poisson carnivore est le requin blanc, qui peut atteindre 6,20 m de long. Le plus féroce, lui, se contente de 50 cm au maximum, avec des mâchoires courtes et puissantes, aux dents acérées... Les piranhas vivent en bandes, et l'odeur du sang les rassemble par centaines pour attaquer de grosses proies. Du bétail, parfois, mais aussi des hommes. En 1981, dans le naufrage d'un cargo, 287 personnes ont été dévorées vivantes dans le port d'Obidos, au Brésil. Il faut moins d'une heure aux piranhas pour laisser un squelette parfaitement nettoyé.

Le piranha :
les dents du fleuve

REPTILE RECORD

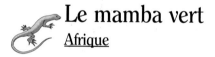

Le mamba vert
Afrique

Chaque année, les serpents seraient responsables de 30 000 à 40 000 décès dans le monde, dont neuf victimes sur dix parmi les populations agricoles du sud-est de l'Asie, d'Amérique tropicale et d'Afrique. Ici, le record est détenu par le mamba vert

(jusqu'à 2 m de long), appelé aussi « serpent bananier », car il se confond avec les régimes de bananes vertes où il aime se nicher. Mais il faut savoir qu'un serpent n'attaque jamais. Les accidents sont dûs à l'imprudence.

Le mamba vert :
mortel régime

LES PROFITEURS

Incroyable mais vrai :
les organismes vivant sur
la peau d'un seul homme
sont **plus nombreux** que
tous les humains sur Terre.
La plupart, microscopiques,
ne nous causent aucun mal.
D'autres n'hésitent pas
à piquer, à pincer ou
à mordre... Et si la plupart
ne font que passer, certains
s'incrustent pour de bon !

LE PLUS CONNU

Le pou
monde entier

Sa courte vie de 4 ou 5 semaines il la
passera (sauf imprévu)... entièrement dans

LE PLUS GOULU

La sangsue médicinale
eaux douces

Patiente, elle attend qu'une proie passe à sa
portée, puis s'y accroche en douceur à l'aide
de ses ventouses. Quand la sangsue mord,
on ne sent rien, et sa salive anticoagulante
empêche le sang de se figer. Elle fut très
longtemps utilisée en médecine, par exemple
pour réduire les hématomes. 15 à 20 minutes
après avoir mordu, la sangsue se détachera
d'elle-même, lourde de 10 à 15 ml de sang
(6 à 9 fois son propre poids). Pour digérer
ce « festin », il lui faudra ensuite... de 12 à
18 mois !

notre chevelure, où le pou s'accroche par
ses minuscules griffes. Ce parasite perce
notre cuir chevelu pour boire notre sang
et pond des œufs appelés « lentes »,
elles-mêmes solidement arrimées. Il peut
transmettre de graves maladies, comme
parfois le typhus. Mais le plus souvent, le pou
se contente de... gratter terriblement !

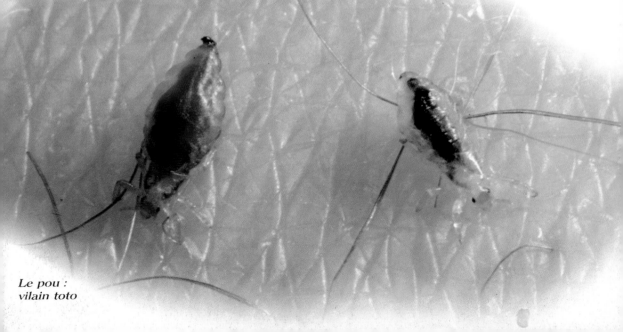

*Le pou :
vilain toto*

La sangsue médicinale : suce-sang

LE PLUS RÉPANDU

L'acarien
monde entier

Pas de panique : les acariens sont là, tout autour de nous. Dans les fentes des parquets, sur les moquettes et les rideaux... Dans notre propre lit, même, vit le dermatophagoïdes (littéralement « mangeur de peau »), mesurant 0,4 mm de long. Auprès de nous il trouve chaleur et humidité, et se nourrit des particules de peau que nous perdons en permanence. Pour les personnes allergiques il existe des peintures anti-acariens, mais le meilleur remède reste de partir souvent en montagne : ces minuscules arachnides détestent l'altitude au-dessus de 1 300 m.

L'acarien : mangeur de peau

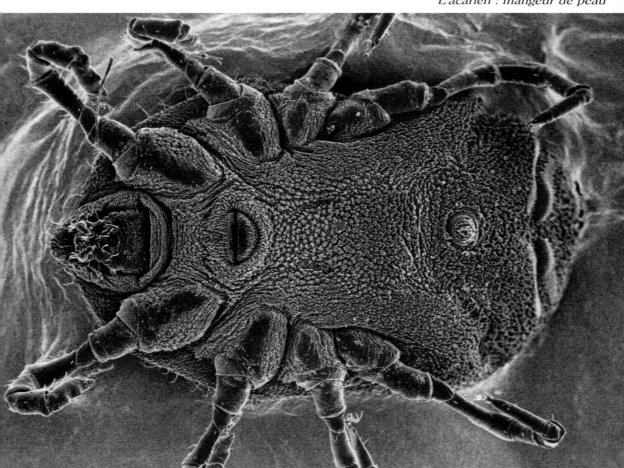

Le pigeon voyageur : message vole

LES PRÉCIEUX

Bien sûr, tous les animaux sans exception sont précieux, et aucun n'est plus indispensable qu'un autre. À notre échelle, pourtant, certains nous rendent **d'immenses services** dans de nombreux domaines. Voici parmi eux quatre grands « champions », mais la liste n'est pas exhaustive.

COURRIER RECORD

Le pigeon voyageur
<u>monde entier</u>

Il peut parcourir 1 000 km par jour, à 140 km/h au maximum. En France, où 850 000 pigeons sont immatriculés chaque année, la police et l'armée interdisent les messages entre particuliers : seules les associations de colombophiles agréées peuvent échanger des renseignements limités. Le vol record, lui, fut observé en 1845 : lâché au large de l'Afrique occidentale, un pigeon était tombé mort d'épuisement 55 jours plus tard... à 1 500 m de son colombier, près de Londres ! Il avait parcouru au moins 8 700 km, ou 11 250 km en évitant le Sahara. L'oiseau le plus cher, enfin, s'est vendu en 1991... 850 000 F !

COBAYE RECORD

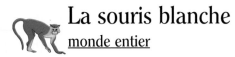

La souris blanche
<u>monde entier</u>

C'est en croisant des souris albinos que l'homme a fixé cette race utilisée en laboratoire. Chaque année, dans le monde, on sacrifie 600 millions de souris et de rats, dont 3 millions en France. La souris blanche (9 cm de long et 25 g en moyenne) est très prolifique : la femelle peut avoir jusqu'à 6 portées par an de 8 souriceaux et plus, avec une gestation de 18 à 20 jours. Un sujet idéal, par exemple, pour suivre rapidement une évolution génétique.

La souris blanche : merci, la souris

ASSISTANT RECORD

Le capucin
Amérique du Sud

Labrador, berger allemand... sont de fameux chiens d'aveugles, qui savent aussi rendre des services aux personnes handicapées. Le singe capucin, lui, va encore plus loin : il sait allumer l'électricité, fermer une porte, mais aussi apporter ou ramasser des objets, aider à toutes sortes de tâches... Choisis pour leur intelligence et leur gentillesse, ces petits singes frugivores (ils pèsent de 2 à 4 kg) sont très attentifs au dressage, et peuvent vivre jusqu'à plus de 30 ans.

Le capucin : petites mains

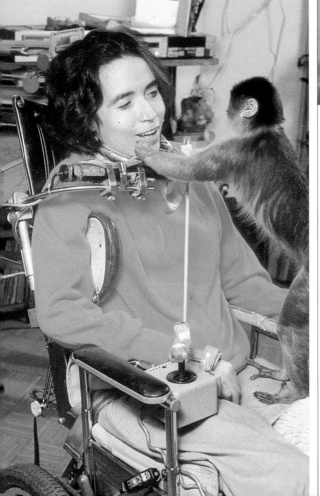

La coccinelle : terreur des pucerons

INSECTICIDE RECORD

La coccinelle
monde entier

Problème n° 1 : les pucerons sont nuisibles aux cultures. Problème n° 2 : les insecticides sont trop toxiques. Solution ? Introduire des coccinelles, qui se chargeront de dévorer tous les pucerons sans toucher aux plantes... De même, les sylviculteurs utilisent la fourmi rousse pour éliminer la chenille processionnaire du pin, dangereuse pour les forêts. Ces méthodes anciennes de lutte biologique sont aujourd'hui remises à l'honneur.

MENACÉS ET DISPARUS

Pour citer tous ces animaux-là, il faudrait un livre entier, et les « records » seraient plutôt sinistres. Aujourd'hui, sur près de 2 millions d'espèces animales et végétales recensées, on estime qu'**une sur cinq est menacée** à court terme. Alors, pour conclure, juste deux grands symboles et un petit hommage à la vie...

LA VIE, RECORD DE DIVERSITÉ

La vie ? Ce n'est pas un animal, la vie ! C'est tous les animaux et les plantes à la fois qui forment ensemble la « biodiversité » d'un milieu. Un désert hébergera très peu d'espèces, une forêt tropicale plusieurs millions. Et pour donner une idée de la prodigieuse richesse de la vie, les scientifiques utilisent parfois une image : « Prenez une brassée de feuilles ramassées dans la jungle, disent-ils, et observez les insectes : il y aura au moins un individu d'une espèce encore jamais identifiée. »

Le grand panda : croque bambou

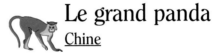

Le grand panda
Chine

C'est sans doute le plus connu des animaux menacés. En 1961, le Fonds mondial pour la Nature (WWF) l'a choisi comme emblème. Son malheur ? Il ne se nourrit que de bambou (jusqu'à 18 kg par jour). Et tous les 60 à 80 ans, les bambous d'une même espèce fleurissent et meurent ensemble. Autrefois, les pandas émigraient vers d'autres forêts. En 1983, isolés dans leur réserve, une centaine d'entre eux sont morts de faim. Leur population totale en 1995 était estimée à moins de 1 000 individus (dont 60 % dans les réserves). Soit un panda pour... un million de Chinois !

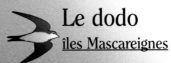

Le dodo
îles Mascareignes

Le dodo : pas assez rapide...

Depuis trois siècles, plus de 100 espèces de mammifères et environ 150 d'oiseaux ont disparu. Parmi ces derniers figurait le dodo, aujourd'hui emblème de l'île Maurice. Ces étranges oiseaux, gros comme des oies, ne savaient pas voler et couraient trop lentement. Le dernier, à l'île Rodrigues, résista jusqu'en 1790 aux colons et à leurs chiens... Depuis, certains arbres dont il se chargeait de disperser les graines se reproduisent plus difficilement. Un animal disparu, c'est aussi un maillon brisé d'une plus vaste chaîne.

INDEX DES NOMS

INDEX DES RECORDS

Difficile de classer les records ! Surtout que certains animaux peuvent en cumuler plusieurs. Voici les principaux d'entre eux, pour s'amuser par exemple à poser des « colles ». Mais il en reste encore beaucoup d'autres cachés au fil des pages…

LES PLUS ▲ GRANDS
▦ GROS
✳ LOURDS